무림오적

武林五賊

무림오적 29

**초판 1쇄 발행 2021년 2월 22일**

지은이 ı 백야
발행인 ı 신현호
편집장 ı 이호준
편집부 ı 송영규 최종건 정재웅 양동훈 곽원호 조정범 강준석
편집디자인 ı 한방울
영업 · 관리 ı 김민원 조인희

펴낸곳 ı ㈜디앤씨미디어
등록 ı 2002년 4월 25일 제20-260호
주소 ı 서울시 구로구 디지털로 26길 111 JnK디지털타워 503호
전화 ı 02-333-2513(대표)
팩시밀리 ı 02-333-2514
E-mail ı papy_dnc@dncmedia.co.kr
홈페이지 ı www.ipapyrus.co.kr

값 8,000원



ISBN 978-89-267-1868-1 04810
ISBN 978-89-267-3458-2 (SET)

백야 신무협 장편소설

29

무림오적

武林五賊

PAPYRUS ORIENTAL FANTASY

PAPYRUS
피루스

1장.
# 일원검강(一元劍罡)

"빚이니까."

"빚?"

"그래. 한 번 도움을 받으면 언제고 우리도 도와줘야 하니까.
굳이 그런 빚을 만들 필요가 없잖아? 우리 셋으로도 충분한데 말이지."

"흠, 거참 각박하네.
세상살이라는 게 다 서로 돕고 도와가면서 살아가는 건데 말이지."

## 1. 회군(回軍)

"돌아가서 정극신에게 전하라!"

제갈천상은 잘린 왼팔을 감싸 쥔 채 울부짖듯 소리쳤다.

"오늘 이후, 본 무적가는 그 어떤 적보다 먼저 철목가와 싸울 것이고, 철목가의 삼족(三族)을 멸할 때까지 그 싸움을 멈추지 않을 것이라고 말이다!"

그의 피를 토하는 웅변에 수천의 무적가 무사들이 일제히 발을 구르며 함성을 내질렀다.

"와아!"

"모두 죽여라!"

지진이라도 난 것처럼 만인평 전체가 들썩거리는 가운데, 제갈천상의 목소리가 이어지고 있었다.

"본가로 돌아간다! 제단을 설치하고 본가 선조들에게 보고를 드리자! 그렇게 제대로 출정식(出征式)을 치른 후, 철목가를 섬멸하는 게다!"

"와아!"

"무적가 만세!"

다시 뜨거운 고함과 함성이 이어졌다.

제갈천상은 그렇게, 본가의 위기에 대해서는 한마디 언급도 하지 않은 채 회군을 지시했다. 무적가 무사들 또한 철목가의 몰살을 목도(目睹)에 두고서도 전혀 아쉬워하지 않은 채 뒤로 물러나 전열을 정비했다.

철목가 역시 더 이상 무적가와 싸울 생각이 없었다. 어쨌거나 수적으로 확연한 열세였으며, 무엇보다 무적검군의 상태가 위중했기 때문이었다.

"성도부로 돌아간다!"

비룡맹군의 명령이 떨어졌다. 철목가 무사들은 안도의 한숨을 내쉬며 황급히 퇴각을 준비했다.

'천운(天運)이 따르는 놈이로구나.'

체갈천상은 비룡맹군의 신형이 안개 속으로 사라지는 모습을 지켜보면서 생각했다.

마음 같아서는 모조리 죽여도 시원찮았지만, 어디까지

나 그는 냉정하고 이성적이었다. 물론 그의 판단은 빠르고 또 정확했다.

지금이라도 철목가 놈들을 몰살시키려고 한다면 충분히 가능한 일이기는 했다. 이곳에 모여든 철목가 무사들은 아무리 많이 잡아도 채 삼백이 넘지 않아 보였으니까.

하지만 철목가에는 아직 숨겨진 한 수가 있었다. 제갈천상의 팔을 자른 신비인(神祕人)이 바로 그 패였다.

비록 제갈천상의 몸 상태가 정상이 아니었으며 또한 모든 신경이 비룡맹군에게 쏠려 있기도 했다.

하지만 설령 그렇다 하더라도 천하의 어느 누가 감히 그를 기습하여 팔을 자를 수 있겠는가.

제갈천상은 신비인의 기습을 전혀 눈치채지 못했다. 나름대로 호신강기까지 두르고 있었지만, 어이가 없을 정도로 간단하게 팔 하나가 잘려 나갔다.

신비인의 일격은 가히 충격적인 무위였다.

왼팔이 잘린 제갈천상은 황급히 지혈을 하고 주위를 둘러보았으나 어디에고 놈의 기척을 찾을 수가 없었다.

그러나 제갈천상은 느낄 수 있었다.

이 시야를 가득 메운 안개 어딘가에서, 임시 막사들이 줄지어 늘어선 뒤쪽 어딘가에서 누군가 여전히 그의 빈틈을 노리고 있다는 것을.

등골이 오싹하고 온몸에 소름이 돋았다.

이마에 맺힌 식은땀이 뺨을 따라 흘러내렸다.

정사대전 등 수많은 실전을 겪고 여러 절정 고수들과 싸워 봤지만 이런 긴장과 불안과 두려움은 처음이었다.

'무서울 정도로 강한 놈이다.'

제갈천상은 후퇴하는 철목가 무사들과 또 임시 막사를 거두는 등 퇴각을 준비하는 무적가 무사들을 둘러보며 생각했다.

'설령 정극신 본인이 직접 왔다고 한들 감히 내게 이 정도의 압박을 줄 수 있을까?'

그건 아니었다.

확실히 정극신은 강했다. 천하에서 가장 강한 고수 열 명을 뽑는다면 반드시 그 안에 속할 정도로 강했다.

하지만 그 강함과 이 공포는 전혀 달랐다.

언제 암살당할지 모른다는 공포와 두려움.

이건 정극신에게서 느낄 수 있는 압도적인 무위와 전혀 다른 성질의 것이었다.

제갈천상은 눈을 가늘게 뜬 채 연신 주위를 둘러보며 신비인의 기척을 찾았다.

하지만 어디에고 놈의 기척은 느껴지지 않았다.

어쩌면 철목가 놈들이 후퇴하면서 함께 이동한 것인지도 모른다. 아니면 여전히 어딘지 모르는 곳에 숨어서 제갈천상의 방심을 노리고 있는 것인지도 모른다.

목덜미가 서늘해졌다.

'은자림(隱者林)의 대살수(大殺手)나 살막(殺幕)의 사신(邪神)들이라도 고용한 겐가?'

제갈천상은 입술을 깨물었다.

은자림과 살막은 대자객교(大刺客橋)와 더불어 천하 삼대 살수 조직이라 불리는 곳이었다.

대자객교는 일반 살수 집단과는 달리 일반인, 선인(善人), 정파의 인물에 대한 청부는 받지 않는다고 알려진 만큼, 만약 제갈천상의 팔을 자른 신비인이 살수(殺手)라고 한다면 적어도 대자객교의 살수는 아닌 게 분명했다.

대자객교만큼은 아니더라도 다른 두 살수 집단 역시 나름대로의 규율이 있었다.

은자림은 청부 대금을 받지 않는 대신 자신들이 원하는 조건을 충족시켜야 비로소 의뢰를 받았고, 반면 살막은 엄청난 대금을 요구하는 대신 의뢰를 받은 이상에는 황제의 목도 베어 준다고 알려져 있었다.

'돌아가서 상황을 정리하는 대로 살수 집단들과도 연락을 취해야겠구나.'

어디 그뿐인가.

철목가의 멸문(滅門)을 천명한 만큼, 모든 무림인들과 방회조직에게도 그 사실을 알려야 했다.

철목가가 저지른 만행을 낱낱이 밝혀 세상에 알리고 최

대한 많은 아군을 끌어모아야 했다. 아니, 무엇보다 철목가에게 동조하는 무리들을 최소화해야 했다.

'철목가가 유령교와 손을 잡고 본가의 정예를 몰살시켰다는 사실을 밝히면 아무리 철목가와 친하다 할지라도 겉으로 드러내 놓고 그들을 도와줄 수는 없을 것이다.'

그렇게 생각하던 제갈천상은 문득 이맛살을 찌푸렸다.

'……그렇군, 금해가.'

금해가는 철목가와 피를 나눈 형제보다도 가까운 사이였다. 그들이라면 강호 동도들의 손가락질을 감수하고서라도 반드시 철목가를 도울 것이다.

'할 수 없지. 금해가야 어쩔 수 없다 치더라도 건곤가와 천왕가는 최소한 중립을 지키게 해야 한다. 더불어 태극천맹을 이쪽으로 끌어올 수만 있다면…….'

제갈천상의 머릿속이 빠르게 회전했다.

'안 그래도 연전(年前) 회의 때 태극천맹의 맹주와 오대가문의 가주들이 하마터면 충돌할 뻔했을 정도로 사이가 좋지 않다고 했지?'

당시 무적가는 가주가 공석이었던 까닭에 굳이 그 회의에 참석하지 않았었는데, 어쩌면 그때 참석하지 않았던 선택이 지금에 와서는 최고의 기회로 바뀔 수 있었다.

'만에 하나, 물론 그럴 리는 거의 없겠지만 설령 건곤가와 천왕가가 철목가의 편에 선다고 하더라도 태극천맹만

잡으면 충분히⋯⋯.'

저 사대가문과 싸워 이길 수 있을 것이다.

그러니 모든 인맥을 총동원해서라도 태극천맹과 손을 잡아야 했다.

'그게 첫 번째 할 일이다.'

제갈천상이 그렇게 향후 계획을 세우는 동안 무적가는 일사불란하게 움직여서 퇴각 준비를 완료했다.

부관이 달려와 보고했다.

"모든 준비가 끝났습니다."

제갈천상은 다시 한번 주위를 둘러보았다.

어느덧 아침이 밝아 왔지만, 여전히 안개는 짙었고 사위의 시야는 새하얗게 가려져 있었다.

'기척은⋯⋯.'

전혀 느낄 수가 없었다.

철목가의 퇴각과 함께 그 신비인도 자리를 뜬 게 확실했다.

'휴우.'

제갈천상은 저도 모르게 한숨을 내쉬었다. 그리고는 곧 고개를 돌려 수하들을 돌아보며 힘차게 외쳤다.

"천자산으로 회군한다!"

"와아!"

"돌아간다!"

제갈천상의 지시에 따라 수천의 무적가 무사들이 일제히 내지르는 함성과 고함이 만인평 넓은 황야를 진동시키고 있었다.


## 2. 낯익은 기척

"이런."

담우천이 살짝 아쉽다는 투로 중얼거리며 검을 거둬들였다. 그 검에서 뻗어 나간 한 줄기 검강은 아슬아슬하게 제갈천상의 몸을 스치며 왼팔을 잘랐다.

"역시 아무리 기습이라 하더라도 일격에 죽일 수는 없군그래."

담우천은 불만이라는 것처럼 투덜거렸다.

하지만 그 광경을 바로 곁에서 지켜본 장예추와 화군악, 그리고 루호와 취표는 너무나도 놀란 나머지 입을 다물지 못한 채 담우천을 쳐다보았다.

'나라면 피할 수 있었을까?'

사람들은 저도 모르게 자신에게 묻고는 또 반사적으로 고개를 저었다.

아니, 피할 수 없다.

살기 한 점 없이 날아와 느닷없이 벼락처럼 베고 가는

그 검강을 어찌 피할 수 있겠는가.

뒤늦게 정신을 차린 화군악이 겨우 물었다.

"저기…… 상대가 누군지 아시죠?"

담우천은 여전히 제갈천상에게서 시선을 떼지 않은 채 담담히 말했다.

"당연히 알지."

"그런데 일격에 죽이지 못했다고 아쉬워하시는 건가요, 지금?"

"암살은 정면 승부와 다르니까."

암살(暗殺)은 말 그대로 아무도 모르게 상대를 죽이는 걸 뜻했다. 죽이지 못하면 암살이 아니었다. 팔을 자르거나 발목 하나를 베는 건 실패였다.

"그러니 결국 실패한 거지."

담우천은 그렇게 말하고는 곧 소리를 낮춰 말을 이었다.

"조심해라. 그가 전력을 다해 우리를 찾고 있으니."

화군악은 황급히 기척을 숨겼다.

제갈천상은 안색이 새파랗게 질린 채 주변을 이리저리 둘러보고 있었다. 모르기는 몰라도 담우천의 그 일격에, 더할 나위 없는 충격과 공포, 두려움을 느꼈을 것이다.

잠시 주위를 살피던 제갈천상은 이내 포기하고 큰소리로 퇴각을 외쳤다.

"역시 삼숙이로군."

가만히 듣고 있던 담우천이 고개를 끄덕이며 중얼거렸다.

"이 와중에도 전혀 다급해하지 않고 외려 무사들의 사기까지 높여 가면서 퇴각을 지시하다니. 누가 보면 승전보(勝戰報)라도 올린 것 같은 기세야."

확실히 제갈천상의 상황은 좋지 않았다.

본산이 적의 기습을 받아 괴멸 직전이라는 보고를 받은 데다가, 알 수 없는 누군가의 기습으로 인해 왼팔까지 잘린 상황이었다.

그럼에도 불구하고 제갈천상은 침착하고 담대하게 오늘의 이 싸움을 승리한 전투라 단언했으며 또한 철목가와의 전면전을 선언하는 것으로 모든 무적가 무사들의 사기를 함양시키고 정신을 고조시켰다.

"우리도 퇴각해야죠. 곧 막사들을 치우러 올 겁니다."

취표의 말에 사람들은 고개를 끄덕이며 담우천을 바라보았다.

"어찌하시겠습니까?"

장예추가 물었다.

제갈천상에게 다시 일격을 가할 생각이냐고 묻는 것이다.

담우천은 가만히 제갈천상을 엿보다가 고개를 저었다.

지금 저 정도의 경계라면 두 번째 암살도 실패할 가능성이 더 컸다.

"무적가는 이대로 두자."

담우천은 힐끗 시선을 돌렸다.

안개 저편으로 철목가 무사들이 퇴각하는 움직임이 흐릿하게 보였다.

"철목가요?"

"그래."

화군악이 눈치 빠르게 묻자, 담우천은 고개를 끄덕이며 대답했다.

"삼숙의 팔 하나를 잘랐으니, 철목가 군주 목 하나는 베어야 공평하겠지."

일순 사람들의 표정이 딱딱하게 굳어졌다.

* * *

철목가는 다급하게 퇴각했다. 무적가도 빠르게 회군을 준비하기 시작했다.

그 혼잡하고 어수선한 틈을 타서 담우천 일행은 진흙탕 속의 미꾸라지처럼 빠르고 은밀하게 그 자리를 벗어났다.

안개 낀 만인평을 벗어나 관도에 당도한 그들은 곧 두

패로 갈라졌다. 함께 철목가의 뒤를 쫓겠다는 루호의 제
안을 담우천이 거절한 까닭이었다.

"그렇다면 우리는 동료들과 먼저 성도부로 돌아가겠습
니다."

루호는 무덤덤하게 말했다. 담우천도 고개를 끄덕이며
무덤덤하게 대꾸했다.

"고생 많으셨소."

"별말씀을. 그럼."

루호와 취표는 포권을 취하며 인사한 후 곧장 안개 저
편으로 신형을 날렸다. 요 며칠 동안 함께 움직이고 생활
하고 또 등을 맞대고 적과 싸웠던 사이치고는 한없이 냉
정하고 무심한 이별이었다.

지켜보던 화군악이 가볍게 한숨을 쉬며 중얼거렸다.

"자기네들이 먼저 도와주겠다고 하는데 굳이 왜 거절
하셨을까? 루호 형님과 그 수하들이라면 철목가의 군주
를 죽이는 데 꽤 도움이 될 텐데."

담우천이 들으라고 하는 혼잣말이었다. 하지만 담우천
이 아닌 장예추가 피식 웃으며 말했다.

"빚이니까."

"빚?"

"그래. 한 번 도움을 받으면 언제고 우리도 도와줘야
하니까. 굳이 그런 빚을 만들 필요가 없잖아? 우리 셋으

로도 충분한데 말이지."

"흠, 거참 각박하네. 세상살이라는 게 다 서로 돕고 도와 가면서 살아가는 건데 말이지."

"그거야 네 생각이고."

장예추는 어깨를 으쓱거리며 말했다.

"루호나 취표는 또 달리 생각할지도 모르잖아."

"루호 형님은 나와 비슷하게 생각할걸?"

"그럼 허 노야는?"

"흐음."

화군악의 말문이 막혔다.

음흉하고 의뭉스럽게 생긴 허 노야의 얼굴이 떠올랐던 것이다.

그에게 빚을 진다는 건 확실히 꺼림칙한 일이었다. 고리대금에 능통한 허 노야이니만큼 그 사소한 도움마저도 몇 배, 아니 몇 십 배나 불려서 되돌려 받으려 할 게 분명했다.

"허 노야라…… 거기까지 생각한다면 확실히 빚을 지지 않는 게 옳은 것 같군그래."

"그런 거야. 음?"

장예추는 웃으며 말하다가 문득 눈살을 찌푸리며 동쪽 방향으로 고개를 돌렸다. 동시에 화군악도 표정을 굳히고 자세를 낮춘 채 장예추와 같은 방향을 지켜보았다.

그들 모두 자신들을 향해 은밀하게 다가오는 낯선 기척을 느꼈던 것이다.

담우천은 이미 그 기척을 느끼고 있었는지, 낮은 목소리로 중얼거리듯 말했다.

"세 명이다. 그중 두 명은 상당한 무위를 지닌 고수들인 것 같군."

"무적가 놈들일까요? 아니면 철목가?"

"그런 건 아닌 것 같은데."

담우천은 여러 겹으로 켜켜이 쌓여 있는 안개 저편을 응시하며 말을 이었다.

"왠지 낯익은 기척이거든."

"네?"

화군악이 어리둥절한 표정을 지을 때였다.

희뿌연 안개 사이로 검은 그림자들이 모습을 드러냈다. 거무튀튀한 신형들이 점점 더 제대로 된 형상으로 바뀌더니 이내 온전한 사람의 모습이 되었다.

그렇게 서로의 모습을 확인할 수 있을 정도로 가까운 거리가 되자 일순 화군악과 장예의 입에서, 그리고 검은 그림자의 입에서 동시에 탄성이 터져 나왔다.

"어라?"

"어?"

"응? 너희들이 왜?"

그들은 서로를 바라보며 어리둥절한 표정을 지었다. 담우천이 고개를 살짝 끄덕이며 중얼거렸다.

"그래. 왠지 낯익은 기척이다 했다."

그런 담우천의 말을 귓전으로 흘려들으면서, 화군악은 상대방의 아래위를 훑어보며 입을 열었다.

"아니, 진짜 설 형님이세요?"

상대방, 설벽린이 눈살을 찌푸리며 되물었다.

"그럼 내가 도깨비라도 된단 말이냐?"

"아니, 그게 아니라…… 야시를 찾아 떠난 분을 이 만인평에서 다시 만난 게 쉽게 이해가 가지 않아서요."

"일이 그렇게 됐다. 아, 담 형님도 계셨네. 잘 지내셨죠?"

설벽린은 넉살 좋게 웃으며 담우천에게 말을 건넸다.

"뭐."

담우천은 짧게 대답하고는 설벽린의 등 뒤로 시선을 향했다. 설벽린의 뒤에는 유 노대와 만해거사가 서 있었는데, 이때 만해거사는 유가밀공의 수법을 통해 늘씬하고 중후한 노인의 모습으로 변한 상태였다.

장예추와 화군악은 그 만해거사를 보고는 내심 고개를 갸웃거렸다.

'미친 늙은이?'

두 사람의 뇌리에 떠오른 생각이었다.

사실 외모만으로 보자면 꽤나 준수하게 나이를 먹은 노인이라고 할 수 있었다. 키도 훌쩍하게 크고 콧날도 우뚝했고 눈은 크고 맑았으며, 입가의 잔잔한 미소는 사람들의 마음을 편하게 만들고 있었다.

하지만 옷이 문제였다.

그 중후한 외모와는 어울리지 않게 팔과 다리가 다 드러날 정도로 길이는 짧았고, 세 사람이 족히 들어갈 수 있을 정도로 품이 넓은 옷을 입고 있었으니 결코 정상적인 인물은 아닌 게 분명해 보였다.

그때 유 노대가 웃으며 입을 열었다.

"이런 곳에서 지인들을 만나게 될 줄 누가 알았겠누?"

장예추가 허리를 숙이며 인사했다.

"오래간만에 뵙습니다, 유 사부."

화군악이 따지듯 물었다.

"아니, 언제 헤어졌다고 그새 되돌아오셨어요?"

"아, 일이 그렇게 되었네."

유 노대는 설벽린이 했던 말을 따라 하면서 만해거사를 사람들에게 소개했다.

"이 친구는 내 동료이자, 자네들이 찾던 참마봉방 사람이라네. 만해거사라고 하지. 아, 그리고 이 친구들은 왜 그 일전에 이야기했던 벽린의 의형제들일세."

담우천들이 인사를 했다.

"담우천이라고 합니다."

"화군악입니다. 만나 뵙게 되어 영광입니다."

"장예추라고 합니다. 영광입니다."

만해거사는 조용히 웃으며 손을 모았다.

"만해라고 하네. 그대들에 대한 이야기는 내 제자를 통해서 많이 들었네."

일순 화군악과 장예추의 눈매가 휘어졌다.

"제, 제자요?"

설벽린이 머쓱하게 웃으며 입을 열었다.

"새로 모신 내 사부셔."

화군악과 장예추의 입이 쩍 벌어지는 순간이었다.


### 3. 암살(暗殺)

퇴각은 신속했다.

애당초 수적으로 불리하다는 사실을 깨달은 직후부터 모든 철목가 무사들은 퇴각을 떠올리고 있었다.

아무리 철목가 무사들이 강하다 한들 겨우 삼백 명으로 수천의 무적가 무사들을 상대할 수는 없었으니까.

또 그 정도는 판단하고 결정을 내릴 줄 아는 비룡맹군과 무적검군이었으니 반드시 퇴각 명령이 떨어질 것이라고 철목가 무사들은 생각하고 있었다.

그리고 그들의 생각대로 전투가 시작된 지 얼마 되지 않아 곧바로 퇴각의 명령이 떨어졌다. 믿을 수 없게도 그 지시를 내린 건 무적가의 제갈천상이기는 했지만.

다행인 것은 제갈천상의 퇴각 명령이 떨어지자 반사적으로 비룡맹군도 퇴각을 명령했다는 점이었다.

만약 미련하고 멍청한 상관이라면 상대방의 퇴각 명령을 〈하나의 좋은 기회〉라 착각하고 공격을 감행시켰을 수도 있었다.

그러나 비룡맹군은 상황을 냉정하고 파악할 줄 알고, 또 제대로 판단하여 신속하게 결정을 내릴 줄도 아는 명장(名將)이었다.

철목가 무사들은 비룡맹군의 퇴각 지시가 떨어지자마자 기다렸다는 듯이 무기를 거두고 몸을 돌려 그 자리를 벗어났다. 만인평을 가득 메운 희뿌연 안개를 뚫고 그들은 순식간에 십여 리 밖까지 몸을 피했다.

"대기하라!"

비룡맹군이 재차 소리쳤다.

"현재 상황을 파악하여 보고하라!"

그의 지시에 따라 부관들과 당주, 대주들이 바쁘게 돌아다니며 인원을 세고 사상자의 수를 확인했다.

비룡맹군은 주위를 둘러보다가 저도 모르게 불쑥 중얼

거렸다.

"지독한 밤이었다."

확실히 지독한 밤이었다.

성도부를 떠나 출전할 때까지만 하더라도 의기양양했다. 그들 앞에 거칠 것은 없었고, 행여 가로막는 게 있으면 그 무엇이든 박살 낼 기세로 달려왔다.

하지만 이 새하얀 장막처럼 켜켜이 둘러쳐진 안개 속으로 들어서면서 일은 묘하게 꼬이기 시작했다.

유령교와 무적가의 싸움을 훔쳐보다가 황당하고 어이없게 무적가의 제갈보광을 죽이는 일이 발생했다.

그 사실을 감추기 위해서 무적가 잔당들의 뒤를 쫓다가 이번에는 무적가 가주 대리인 삼숙 제갈천상과 그가 이끄는 수천의 무리들과 정면으로 맞닥뜨리게 된 것이다.

제갈천상은 생각보다 훨씬 강했다. 정면으로 겨루던 무적검군이 혼절했으며 비룡맹군 또한 적지 않은 내상을 입어야만 했다.

그에 비해 제갈천상은 팔 하나 제대로 움직이지 못하는 부상을 입었을 뿐이었다.

"그 늙은이가 갑작스레 퇴각 명령을 내리지 않았더라면……."

아마도 비룡맹군과 무적검군이 이끄는 부대는 모조리 몰살당했을 게 분명했다.

비룡맹군은 문득 고개를 갸웃거리며 중얼거렸다.

"도대체 무슨 이유였을까, 그 늙은이가 갑작스레 퇴각을 지시한 까닭은?"

알 도리가 없었다.

안개는 바로 코앞조차 보이지 않을 정도로 짙었다. 비명과 고함, 병장기 부딪치는 소리가 난무했다.

그렇게 극도로 혼란한 와중에, 비룡맹군은 무적검군의 안위에 모든 정신을 집중하고 있던 참이었다. 제갈천상 쪽에서 무슨 일이 일어나고 있는지 신경 쓸 겨를이 없었던 것이다.

"어쨌든 다행이다. 돌아가서 전열을 가다듬을 수 있게 되었으니까."

비룡맹군은 입술을 깨물었다.

결코 이대로 물러날 마음은 없었다.

물론 싸우다가 질 수는 있었다. 지금껏 단 한 번의 패배가 없던 것도 아니었으니까.

중요한 건 지고 난 후의 일이었다. 중요한 건 그대로 꼬리를 말고 도망치느냐, 아니면 다시 일어나 복수를 하느냐, 그리고 그 복수에 성공하느냐의 문제였다.

비룡맹군은 지금껏 늘 다시 일어나 복수를 했으며 또 언제나 그 복수에 성공했다. 그렇기 때문에 오늘날 철목가의 군주 중 한 명이 될 수 있었던 것이다.

이번에도 그럴 것이다.

'가주를 설득해서 철목가 전 병력을 이끌고 돌아올 것이다. 다른 가문들과 태극천맹이 뭐라 하든 상관없다. 무적가를 몰살시키기 위해 모든 전력을 동원할 테니까.'

비룡맹군이 그렇게 마음속으로 중얼거릴 때였다. 지시를 받았던 부관들이 빠르게 모여들어 보고를 시작했다.

"칠십이 명이 사망했으며 백십일 명이 부상을 당했습니다. 그중 회생 불가능해 보이는 중상자가 서른두 명입니다."

"당주 셋, 대주 아홉 명이 사망했습니다. 지금 새롭게 대(隊)를 정비하고 당(堂)을 배치하고 있습니다."

"이런."

비룡맹군의 입에서 한숨 같은 신음이 절로 흘러나왔다. 생각보다 훨씬 더 큰 손실이었다. 사망자 수도 사망자 수이거니와 특히 당주를 세 명이나 잃었다는 건 확실히 예상외의 손실이었다.

"이 빚은……."

비룡맹군은 동쪽 하늘을 바라보며 이를 악문 채 중얼거렸다.

"반드시 갚아 주마."

어느덧 동쪽 하늘이 조금씩 밝아 오고 있었다. 지독한 밤이 지나가고 새벽이, 아침이 오는 것이다.

안개도 조금씩 엷어지고 있었다. 사물이 조금씩 제 모습을 드러내기 시작했다.

잠시 그 광경을 지켜보던 비룡맹군은 부관들을 돌아보며 지시를 내렸다.

"새로이 조직을 정비하는 대로 이곳을 떠나 귀환한다. 최대한 빨리 움직일 수 있도록 조치하라."

"존명!"

명령을 받은 부관들이 서둘러 자리를 떴다.

비룡맹군이 뒷짐을 진 채 다시 동쪽 하늘로 시선을 옮길 때였다.

엷어지는 안개 사이로 부관 하나가 흐릿하게 다가왔다.

"무적검군께서 위독……."

부관은 다급하게 말했다.

하지만 워낙 빠르고 낮은 목소리로 보고한 까닭에 정확하게 알아들을 수가 없었다. 비룡맹군은 눈살을 찌푸리며 그에게 가까이 다가가며 물었다.

"뭐라 했느냐?"

"그게……."

바로 그 순간이었다.

번쩍!

허리를 숙인 부관의 품속에서 새하얀 섬광이 일었다.

"이런!"

비룡맹군은 헛바람을 들이키며 반사적으로 호신강기를 일으키는 동시, 쌍장을 휘둘러 섬광을 막고 부관을 후려쳤다. 실로 놀라울 정도로 쾌속한 반응 속도였다.

하지만 새하얀 섬광은 비룡맹군이 신속하고 끌어올린 호신강기를 박살 내고 그대로 심장을 관통, 등을 뚫고 사라졌다.

'헉!'

비룡맹군의 눈이 금방이라도 튀어나올 것처럼 부풀어 올랐다.

"누, 누구냐?"

그는 뻥 뚫린 심장을 부여잡으며 물었다.

부관은 허리를 천천히 폈다. 부관의 옷차림을 한 낯선 얼굴이 그 자리에 있었다.

아니, 어디선가 본 얼굴이었다. 그것도 최근에 봤던 얼굴이었다.

낯설되 낯설지 않은 부관의 얼굴을 바라보던 비룡맹군의 얼굴이 천천히 일그러졌다.

"네, 네놈은…… 그 유령교의 마두…….."

그랬다.

비룡맹군의 부관으로 변장한 이 사십대 중년인은 얼마 전 제갈보광과 싸우던 유령교의 마두였다.

"비, 빌어먹을…….."

비룡맹군은 비틀거리기 시작했다. 이미 심장을 관통당한 중상을 입은 터였다. 이렇게 버티고 선 채 말하는 것만으로도 기적 같은 일이었다.

"유, 유령교, 따, 따위가 감히……."

비룡맹군은 가짜 부관을 노려보며 중얼거리다가 결국 끝까지 말을 잇지 못한 채 그대로 앞으로 꼬꾸라졌다. 철목가 군주의 최후라고 하기에는 너무나도 덧없는 죽음이었다.

"그래도 다행이라 생각하게."

가짜 부관은 묵직한 저음으로 중얼거렸다.

"무적검군이라는 자는 살려 주니까."

그렇게 중얼거린 가짜 부관은 안개 사이로 비집고 들어가 몸을 숨기듯 이내 그 자취를 감췄다. 차가운 바람이 식어 가는 비룡맹군의 시신 위를 핥듯이 스치고 지나갔다.

* * *

"믿을 수 없군."

"나도 믿을 수 없네."

"방금 그 비룡맹군의 호신강기를 꿰뚫은 건 확실히 검강인 것 같은데."

"일원검강(一元劍罡)이라고 하더군요. 그나저나 두 분 다 눈이 좋으십니다. 저는 안개 때문에 전혀 볼 수가 없는데 말입니다."

"그게 내공 차이일세."

"따로 천리안(千里眼)처럼 안력(眼力)을 강화하는 공부(功夫)를 수련하지 않아도 내공이 높고 강하면 십 리 밖의 개미가 움직이는 것도 관찰할 수 있는 게야."

세 명의 조손(祖孫)은 사이좋게 대화를 나누고 있었다.

그들은 철목가가 진영을 재배치하고 있는 곳에서 불과 백여 장 정도 떨어진 구릉 위에서 점점 옅어져 가는 안개 저편을 지켜보았다.

설벽린은 아쉽게도 조금 전 그곳에서 무슨 일이 벌어졌는지 확인할 수가 없었다. 단지 유 노대와 만해거사의 대화를 통해, 담우천이 비룡맹군의 암살을 성공했다는 사실을 짐작할 따름이었다.

"흠, 아무리 순간적으로 일으킨 강기라고는 하지만 명색이 철목가 군주의 호신강기야. 그걸 저리도 간단하게 부숴 버리다니……. 도대체 네 담 형님이라는 자는 어떤 인물이더냐?"

만해거사가 혀를 내두르며 묻자, 설벽린은 어깨를 으쓱거리며 자랑스레 말했다.

"놀라기는 아직 이릅니다. 어디 담 형님뿐이겠습니까?

조금 전 만났던 군악과 예추는 물론이고, 화평장을 지키고 있는 강 형님도 장난이 아닙니다."

"흠, 군악과 예추라는 젊은이들도 확실히 송곳 같은 예기를 지니고 있었지. 아마 그 또래 중에서는 그들보다 강한 자가 없을 것이야."

만해거사는 팔짱을 끼며 중얼거렸다.

"하지만 저 담우천이라는 자는 그런 그들과도 격이 달라보이네. 뭐랄까…… 천하제일이니 뭐니 하는 단어가 절로 떠오른다고나 할까."

그렇게 중얼거리던 만해거사는 문득 생각났다는 듯한 얼굴로 설벽린을 돌아보며 물었다.

"그런데 그 소야인가 소공자인가 하는 애송이가 저 담우천이라는 친구보다 훨씬 더 강하다는 겐가?"

"그, 그건……."

일순 설벽린의 얼굴이 새파랗게 질렸다.

소야 위천옥을 떠올리는 순간 걷잡을 수 없는 공포와 두려움이 그의 위와 내장을 쥐어짜기 시작했다. 찢어질 것 같은 고통이 밀려들었다.

설벽린은 배를 움켜쥐며 부들부들 떨리는 목소리로 말했다.

"그, 그건…… 누가 더 강하느냐 아니냐 하는 차원의 문제가 아닙니다."

만해거사는 의아한 표정을 지으며 물었다.

"음? 그럼?"

"뭐랄까…… 상대방에게 주는 감정이 달라요. 그 질식할 것 같은 공포심과 두려움은 정말이지 겪어 보지 않고는 이해할 수가 없을 겁니다."

"흠."

만해거사가 고개를 갸웃거릴 때였다.

비룡맹군을 암살하러 갔던 담우천과 화군악, 장예추가 구릉 위로 모습을 드러냈다.

"무슨 이야기를 그리 하십니까?"

화군악이 묻자 설벽린이 애써 웃으며 대답했다.

"아, 담 형님에 대해서."

그는 일부러 호들갑스럽게 떠들었다.

"일원검강에 대해 설명해 드리던 참이었거든. 비룡맹군을 암살하는 걸 보시고는 우리 만해 사부께서 천하제일 운운하시더라고."

"헤에, 여기서 그게 보였습니까?"

화군악의 물음에 만해거사가 살짝 코웃음을 치며 말했다.

"원래 눈이 좋거든."

"그런가요?"

"그건 그렇고…… 언제고 한번 그 검강을 제대로 견식

해 보고 싶은데, 괜찮겠나?"

만해거사의 물음에 담우천은 낮은 목소리로 무덤덤하게 대꾸했다.

"얼마든지요."

"자, 그럼 이제 가시죠."

화군악이 활짝 웃으며 말했다.

"강 형님이 눈이 빠져라 기다리고 계실 겁니다. 못다 한 이야기는 가서 나누기로 하죠."

"그렇게 하세."

만해거사는 고개를 끄덕였다.

이내 여섯 명은 지면을 박차고 허공을 날았다. 순식간에 그들의 신형이 구릉에서 안개 저편으로 사라졌다.

동녘 하늘이 완연하게 밝았다. 해가 뜨면서 안개는 점점 더 옅어졌다.

그때였다.

"군주!"

"맹군!"

놀라고 당황하여 부르짖는 목소리가 절절하게 울려 퍼졌다. 재배치를 끝낸 후 보고를 하러 왔다가 비룡맹군의 시신을 발견한 부관들의 절규였다.

2장.

# 화평장의 새 손님

"장원이 아니라 무슨 요새처럼 보이는데?"
설벽린은 고개를 들었다. 저도 모르게 입가에 미소가 스며들었다.
"잘 보셨습니다."
그는 웃으며 만해거사에게 말했다.
"이 난공불락(難攻不落)의 요새가 바로 우리들의 화평장입니다."

## 1. 자격지심(自激之心)

이틀 후.

담우천 일행은 성도부에 당도했다. 만인평에서 성도부까지는 말을 달려도 사흘은 족히 걸리는 거리, 하지만 담우천 일행은 그 먼 거리를 단 이틀 만에 주파한 것이다.

"정말 아깝군그래."

그들과 함께 경신술을 펼쳤던 만해거사가 혀를 내둘렀다.

"내 제자 녀석과는 차원이 다른 자들이야. 아무래도 내가 패를 잘못 고른 모양일세."

유 노대가 쓴웃음을 흘렸다.

"하지만 벽린이 아니라면 굳이 우리의 제자가 되고 싶어 하는 자도 없을 테니까."

"흠, 그것도 그렇군. 아니, 그러면 우리가 제자로 들어가는 건 어떨까?"

"허허. 역시 자네의 발상은 천진난만하기까지 하다니까."

유 노대가 어이없다는 듯 너털웃음을 흘렸다.

아무리 스승과 제자의 관계라는 게 나이에 상관이 없다고는 하지만, 그래도 만해거사 정도 되는 나이에다가 또 그만한 실력을 지닌 노기인이 비록 농담일지는 몰라도 손자뻘 되는 청년들의 제자로 들어가겠다는 말을 저렇게 간단하게 내뱉을 수 있다는 건 역시 만해거사이기 때문에 가능한 발언이리라.

그렇게 두 노인이 이런저런 대화를 나누는 동안 그들은 어느새 성도부 북쪽 거리에 위치한 화평장에 이르렀다.

"저 장원입니다."

설벽린이 손을 들어 화평장을 가리키다가 문득 고개를 갸웃거리며 중얼거렸다.

"어라? 뭔가 이상한데?"

아닌 게 아니라 지금 아침 햇살 아래 보이는 화평장의 모습은 평소의 그 화평장과 사뭇 달랐다.

우선 동서남북 사방을 지키듯 우뚝 서 있던 망루들의

모습이 보이지 않았다. 또한 정문을 비롯하여 곳곳에 서 있던 호원 무사들도 없었다.

규모나 전각의 구조 등 모든 것이 주변의 여느 평범한 장원과 전혀 다를 바가 없는, 그래서 애당초 이 장원이 화평장인지조차 알아볼 수 없을 정도로 평이한 장원이 그 자리에 있었던 것이다.

"아니, 화평장은 어디로 가고……."

설벽린은 화평장이 있던 골목길 어귀로 걸어가려다가 문득 걸음을 멈췄다.

뭔가 이질감이 느껴졌다. 심지어 화평장으로 들어서는 골목길이 어딘지 모르게 낯설고 위험해 보였다. 자세히 집중해서 보니 길가의 돌멩이들이 살짝 일그러진 것처럼 보이기도 했다.

"진법이로군."

만해거사가 예리한 눈빛을 번뜩이며 감탄하듯 말했다.

"진법이요?"

설벽린이 놀라 그를 돌아보자 만해거사도 놀란 얼굴로 설벽린을 마주 보며 물었다.

"응? 네 녀석의 장원이지 않더냐?"

"아, 그게…… 제가 떠날 때만 하더라도 이곳에 진법 같은 게 펼쳐져 있지 않았거든요."

"호오, 그래?"

"그건 우리도 마찬가지입니다."

화군악이 그들의 대화에 끼어들었다.

"우리가 만인평으로 출격하기 전만 하더라도 이런 진법은 없었거든요."

만해거사가 턱수염을 쓰다듬으며 말했다.

"호오. 그럼 불과 며칠 사이에 진법을 펼친 게로군. 가만있어 보자."

만해거사는 그렇게 말하며 거침없이 골목길 안쪽으로 걸어 들어갔다. 설벽린이 깜짝 놀라 소리쳤다.

"위험해요, 만해 사부!"

만해거사는 손을 흔들어 보이고는 아무렇지 않게 골목을 따라 저 안쪽까지 걸어갔다가 다시 걸어 나왔다. 그리고는 살짝 흥분한 듯한 표정을 지으며 말했다.

"진짜 대단한 진법이야. 일반인이라면, 아니 강호 무림인이라 하더라도 아무것도 알아차리지 못할 정도로 정교하게 만들어진 진법이군그래. 심지어 나조차도 살짝 방심했다면 전혀 눈치채지 못하고 지나쳤을 테니까. 흠, 어디 보자. 어떤 진법을 바탕으로 만들어졌는지 궁금하군그래."

만해거사는 진중한 얼굴로 골목길 어귀부터 장원 주위를 둘러보기 시작했다.

"굳이 그럴 필요까지는 없습니다. 들어가서 사람들에

게 물어보면······."

설벽린이 만해거사를 만류하려 했지만 외려 그보다 먼저 장예추에게 제지를 당했다.

"응? 왜?"

설벽린은 자신의 팔을 낚아챈 장예추를 돌아보며 영문을 모르겠다는 표정을 지었다. 장예추는 꼼꼼히 주변을 살피는 만해거사를 지켜보며 낮은 목소리로 물었다.

"저 만해거사라는 분이 진법에도 해박하신가요?"

설벽린은 범정산 만해암 일대에 펼쳐져 있었던 진법을 기억해 내고는 고개를 끄덕였다.

"그렇지. 유 사부 말씀에 따르면 음식과 진법, 무공이 매우 뛰어나다고 하셨으니까."

"그럼 잘되었네요. 과연 우리 화평장에 펼쳐진 진법이 얼마나 든든하고 탄탄한지 확인할 수 있는 기회이니까요."

"흠, 그렇게 생각할 수도 있나?"

"그럼요. 사실 이 진법은 꽤 오래전부터 제 아내와 제수씨, 그리고 헌원 노대가 논의하고 토의하여 설계한 진법이니까요. 만해거사와 같은 진법의 대가에게는 어떤 모습으로 비칠지 궁금합니다. 또 과연 파훼할 수 있을까도 궁금하고요."

"흐음."

설벽린은 그제야 이해한다는 듯이 고개를 끄덕였다.

장예추의 아내인 당혜혜는 사천당문의 여식이고, 화군악의 부인인 정소흔은 무당파 장문인의 딸이다.

그녀들의 가문은 검공(劍功)뿐만 아니라 남궁세가, 제갈세가와 더불어서 진법이라는 분야에서도 대단히 뛰어난 역량을 보여 주고 있었다.

거기에다가 헌원 노대의 뛰어난 장인(匠人) 실력까지 합쳐졌으니 이번에 새로 설치한 진법은 상당한 위용을 지니고 있을 게 분명했다.

'하지만 말이지……'

설벽린은 왠지 입맛이 떨떠름했다.

어쨌거나 장원의 내부적 사안은 설벽린의 임무였다. 무너진 곳은 보수하고, 진영을 재정비하고 함정과 진법을 설치하는 것 모두 그의 몫이었다.

그런데 기묘하게도 마침 그가 장원을 떠나 있을 때 새로운 진법이 화평장에 설치된 것이다. 마치 더 이상 설벽린이 할 수 있는 일이 없다는 것처럼.

'설마 그럴 리가……'

설벽린은 고개를 휘휘 내저었다. 볼살이 이리저리 휘둘릴 정도로 세찬 고갯짓이었다.

'다 자격지심(自激之心)이다. 내가 필요하지 않을 리가 없다. 만에 하나 진짜로 내가 필요하지 않다면…… 내 앞

에서 당당하게 그리 말할 강 형님이니까. 응? 그렇게까지 강 형님이 냉혈한이었던가?'

설벽린의 생각이 엉뚱한 곳으로 전개되어 가는 동안, 조금 뒤에 떨어져 있던 유 노대와 담우천은 낮은 목소리로 뭔가 대화를 나누고 있었다.

"그러니까 야시에는 들르지 않으신 거군요."

"그렇지. 굳이 야시를 찾아갈 필요가 없어졌으니까. 참 마붕방의 늙은이들의 소재를 확인하는 데에는 귀영신의 초 늙은이가 제일이고, 그 늙은이가 동정호 백귀도에 있다는 사실을 알게 된 이상 야시는 우리와 관련이 없게 된 셈이네."

"다행이군요."

"음? 뭐가 다행이라는 게지?"

"아닙니다."

담우천은 고개를 저었다.

야시를 주관하는 자들에 대한 걱정과 두려움은 오롯이 자신의 몫으로 남겨 둘 심산이었다. 지금 눈앞의 오대가문을 상대하는 것만으로도 담우천의 동료들은 감당하기 어려울 정도로 벅찰 테니까.

담우천은 힐끗 만해거사를 돌아보며 화제를 돌렸다.

"그나저나 저 만해거사라는 분이 예전의 그 독옹의선이라는 겁니까?"

유 노대도 담우천을 따라 만해거사를 바라보았다. 만해
거사는 거의 길바닥에 엎드리다시피 한 채 화평장 주위
에 펼쳐진 진법을 관찰하고 있었다.

"그렇네."

유 노대는 저도 모르게 미소를 머금으며 고개를 끄덕였
다.

"많이 변했지?"

담우천은 무심한 눈길로 만해거사를 지켜보며 말했다.

"살을 많이 빼셨군요."

"살? 아아, 허허허."

유 노대가 웃음을 터뜨렸다.

담우천이 영문을 모르겠다는 눈빛으로 유 노대를 돌아
보자, 그는 싱글거리며 말했다.

"그렇군. 그러고 보니 자네는 뚱뚱했을 때의 만해만을
기억하겠군그래."

"아무래도…… 정사대전 당시 우리와 함께 움직였던
독응의선은 확실히 뚱뚱했으니까요."

"그 전에는 저렇게 날씬했었다네."

"음, 이야기는 들었습니다만 그때 모습을 직접 보지
는……."

"그리고 지금은 자네가 기억하고 있는 것보다 세 배는
더 뚱뚱해졌고."

"네?"

담우천의 표정이 오래간만에 변했다. 유 노대는 그가 놀라는 모습을 보며 꽤나 즐거워했다.

"자네도 놀랄 줄 아는군그래."

"으음."

담우천은 가만히 유 노대를 지켜보다가 다시 만해거사를 돌아보고는 뭔가 생각한 듯 입을 열었다.

"축골공과 유가밀공인가요?"

"오호!"

유 노대는 의표를 찔린 듯한 표정을 지었다. 담우천은 계속해서 생각을 정리하며 중얼거렸다.

"축골공과 확골공으로 몸의 형태를 변환할 수가 있기는 하죠. 그리고 유가밀공 중에서도 내공을 아예 몸의 근육이나 지방처럼 덧씌워서 그것만으로도 금강불괴(金剛不壞)의 위력을 지니게끔 만드는 술법도 있었죠. 게다가 독응의선이 뚱뚱해지기 시작한 건 잠시 서장에 다녀온 이후의 일이었다고 들었으니까……."

'허어.'

이번에는 유 노대가 놀라야만 했다.

'이렇게나 간단하게 만해의 비밀을 파훼하다니…….'

"세상에 그런 술법이 존재하다니……. 역시 서장의 무공이라는 게 정말 독특하고 이질적입니다."

담우천이 고개를 끄덕일 때였다.

"호오!"

한참 동안 진법 파훼에 여념이던 만해거사가 자리에서 벌떡 일어나 손뼉을 치며 감탄했다.

"대단하군. 사천당문의 환영독무진(幻影毒霧陣)에서 독무(毒霧)를 빼고 거기에다가 무당파의 구구대청마라진(九九大淸魔羅陣)의 정수만을 조합하며 만든 진법이라니!"

만해거사가 놀랍다는 듯이 말하는 모습을 보면서 장예추 또한 진심으로 놀라고 있었다.

'불과 일이각 살펴본 것만으로 우리의 구구환영마라진(九九幻影魔羅陣)의 특징을 단번에 알아차리다니…….'

장예추는 새삼스럽다는 눈으로 만해거사를 바라보았다. 설벽린이 만해거사에게 물었다.

"그럼 어떻게 진법을 파훼하는지도 아시겠습니까?"

"물론일세."

만해거사는 어깨를 으쓱거리며 말했다.

"이틀, 아니 하루하고 한나절만 시간을 주면 확실하게 파훼할 수가 있을 걸세."

"그렇게나 시간이 필요합니까?"

설벽린이 쓴웃음을 흘렸다.

"아뇨. 그것만으로도 대단한 겁니다."

장예추가 고개를 저으며 말했다.

"사천으로 가기 전에 했던 제 아내의 말에 의하면 이 진법을 파훼할 수 있는 진법가(陣法家)는 세상에 열 명도 되지 않을 거라고 했으니까요."

"호오."

"뭐, 하지만 지금 진법을 파훼하고 화평장에 들어가기 위해서는 그렇게까지 긴 시간이 필요하지는 않죠."

말을 마친 장예추는 곧 입술을 모았다. 맑고 낭랑한 새 울음소리가 그의 입술을 타고 흘러나왔다. 설벽린은 몰랐지만 화군악이나 유 노대는 그 새소리가 뭔지 쉽게 알아차렸다.

'이건 요족(瑤族)의 연락 방법?'

확실히 지금 장예추가 부는 새소리는 십만대산에서 살아가는 소수 종족인 요족의 연락 방법이었다.

이내 화평장 쪽에서 그와 비슷한 새소리가 들려왔다. 장예추보다 훨씬 반짝거리고 투명한 새소리였다. 고로투보다 소묘아의 새소리일 게 확실했다.

순간, 설벽린은 저도 모르게 눈을 비볐다. 눈앞의 풍경이 갑자기 보다 더 명료해지고 깨끗해진 것 같았기 때문이었다. 일그러져 보였던 길가의 돌멩이도 제대로 보였으며, 심지어 공기마저 훨씬 상쾌해진 느낌이었다.

진법이 풀린 것이다.

"어라? 저게 자네들의 화평장인 겐가?"

만해거사가 진법이 풀리면서 새로 모습을 드러낸 화평장을 바라보며 눈을 동그랗게 떴다.

"장원이 아니라 무슨 요새처럼 보이는데?"

설벽린은 고개를 들었다. 저도 모르게 입가에 미소가 스며들었다.

"잘 보셨습니다."

그는 웃으며 만해거사에게 말했다.

"이 난공불락(難攻不落)의 요새가 바로 우리들의 화평장입니다."


## 2. 내가 살아가는 이유

확실히 일반 평범한 장원과는 달랐다.

우선 주변 다른 장원의 네 배 정도 되는 규모부터 달랐고, 장원 사방에 탑루와 종루로 위장된 망루들이 세워져 있다는 것도 달랐다.

외부에서는 보이지 않지만, 심지어 망루 꼭대기에는 철갑(鐵鉀)도 단숨에 박살 내는 쇠뇌들이 설치되어 있었다. 심지어 이곳의 쇠뇌들은 군영(軍營)에서조차 보기 힘든 철화살을 사용하고 있었다.

어디 그뿐인가.

"허어, 장원 내부에도 따로 진들이 펼쳐져 있구나!"

만해거사의 감탄처럼 장원 내부 곳곳에 소규모의 진과 함정, 암기들을 마련해서 불청객과 침입자들이 내당에 당도하기 전까지 몰살할 수 있게끔 준비했다.

게다가 또 다른 기관 장치를 설치하느라 아직 공사 중인 곳도 적지 않았다. 그 기관 장치들까지 완성된다면 설벽린의 장담이 아니더라도 확실히 난공불락이라고 해도 될 정도의 든든한 요새가 될 것이다.

"흠, 오대가문과 맞서 싸운다는 게 농이 아니었군그래."

정문을 통과하여 마당을 지나 외당과 내당을 경계하는 월동문을 지날 때까지 곳곳에 위치한 온갖 장치들을 세심하게 살피던 만해거사는 미미하게 고개를 끄덕이며 그렇게 중얼거렸다.

그와 함께 걷던 유 노대가 그 말을 듣고는 진지한 표정을 지으며 말했다.

"안 그래도 이곳 장원에서 오대가문 사람들과 한바탕 전투를 치른 적이 있었다네."

"호오, 그래?"

만해거사가 호기심 담긴 눈빛으로 돌아보자 유 노대는 어깨를 으쓱거리며 말했다.

"철목가와 무적가 녀석들이 기습했다더군. 대략 이백 명 정도 되는 그들을 몰살시키는 데 불과 한 시진도 걸리지 않았다고 하네."

"한 시진도?"

"그래. 그럼에도 불구하고 아직 부족하고 미비하다고 해서 계속해서 이것저것 장치를 설치하고 함정을 준비하고 있다네. 바깥의 진법도 그렇게 해서 새로 펼친 게고."

"흠, 장원 바깥의 진법은 내가 조금 손보게 된다면 훨씬 더 무시무시한 진법이 될 것이야."

"호오. 그렇다면 사람들과 상의해 보게."

"그래야겠지. 그 전에……."

만해거사는 싱긋 웃으며 앞을 바라보았다.

"이 장원의 주인을 만나 봐야겠지만 말이네."

그의 앞에는 웅장한 느낌을 주는 전각이 우뚝 서 있었다. 바로 이 화평장의 본청이라 할 수 있는 위정전이었다.


서로 수인사를 나누는 것만으로도 제법 적지 않은 시간이 소요되었다. 그 바람에 미리 준비한 국과 요리들이 식어서 다시 내와야 했다.

"자자, 다들 배고프실 텐데 먹으면서 이야기를 나누기로 하죠."

대청에 마련된 커다란 탁자 중앙에는 멧돼지나 곰을 연상케 하는 자가 있었다. 방금 소개를 통해 이 화평장의 장주이자, 이른바 무림오적이라 불리는 조직의 수좌임을 확인한 강만리라는 인물이었다.

그는 솥뚜껑 같은 손바닥을 비비며 말했다.

"저 제대로 노릇노릇하게 구워진 오리 구이들이 식어 가는 게 가슴 아프니까요."

그 한마디에 만해거사는 통째로 마음을 열었다.

자고로 먹기를 좋아하고 음식을 아끼는 이들치고 선량하지 않은 자가 없다. 그게 만해거사의 지론 중 하나였으니까.

"옳은 말씀이시오. 잘 구운 오리 구이가 식어 가는 것처럼 안타까운 일이 없지."

만해거사는 크게 고개를 끄덕이고는 자리에 앉았다. 그리고 강만리나 다른 사람보다 먼저 오리 구이 다리 한 점을 뜯어 입안에 쑤셔 넣었다. 그 호쾌한 박력에 사람들은 입을 다물지 못했다.

"오오, 맛있군! 정말 잘 구워졌어. 껍질은 바삭하고 속은 촉촉하며 육즙이 갈무리되어 있어서 씹을수록 그 향과 맛이 몇 배나 진해지는군그래. 이 정도 실력이라면 최소한 일성(一省)에서 손가락 안에 꼽히는 숙수임이 분명해!"

그는 다리 한 점을 우걱우걱 씹으면서 연신 고개를 끄덕이며 칭찬했다.

"아휴, 만해 사부."

설벽린이 부끄러워하며 그를 말렸다.

동료들에게 자신의 새로운 사부가 조금 더 품위 넘치고 고고한 노기인으로 보였으면 하는 건 지극히 당연한 생각이리라.

그래서였다.

"왜 그러세요, 채신머리없게."

설벽린은 만해거사의 옆구리를 꼬집으며 나무랐다. 하지만 만해거사는 외려 그런 설벽린이 이해되지 않는다는 얼굴이었다.

"뭐가 채신머리없다는 게지?"

설벽린은 낯을 붉혔다.

사람들의 시선이 자신들에게로 쏠리는 게 부담스럽고 짜증이 나며 또 부끄러웠던 것이다.

"그렇게 시정잡배처럼 먹는 게 아니라 좀 더 품위 있게 드실 수 있잖아요?"

설벽린이 낮은 목소리로 말하자 만해거사는 '아.' 하는 듯한 얼굴로 피식 웃으며 입을 열었다.

"사람이 살아가는 이유가 뭐라고 생각하느냐?"

갑작스런 화제의 전환에 설벽린은 어리둥절한 표정을

지으며 말했다.

"그야 사람마다 다르지 않겠습니까? 어떤 자는 돈을, 어떤 자는 명예를 그 이유로 생각할 테니까요."

"그렇지? 사람마다 다르지?"

"네. 그런데 그게 왜⋯⋯."

"내가 살아가는 이유 중 하나는 바로 맛있는 음식을 먹기 위해서란다. 사실 사람의 삼대욕구 중 하나가 식욕(食慾)이니만큼 맛있는 음식을 먹는 게 삶의 목표라고 해도 뭐 크게 부끄러울 일이 아니다 싶은데."

"뭐, 사람에 따라서 그렇게 생각할 수도 있겠죠."

설벽린은 떨떠름하게 말했다. 만해거사는 크게 고개를 끄덕이며 말을 이었다.

"그렇지. 그럼 맛있는 음식을 가장 맛있게 먹는 방법이 뭔지 아느냐?"

"그, 그건⋯⋯."

"그건 바로 다른 사람들의 눈치를 살피지 않고 우걱우걱 게걸스럽게 먹는 게 가장 맛있게 먹는 방법이란다."

"하, 하지만⋯⋯."

"먹는 음식의 종류를 두고 타박하거나 먹는 방식을 두고 비난하는 게 외려 더 무지하고 몽매한 자들인 게야."

만해거사의 말에 설벽린은 항변을 하려다가 입을 다물었다. 문득 그가 강호를 떠돌면서 겪고 보았던 일들이 기억났기 때문이었다.

이 대륙의 드넓은 땅에는 수십, 수백의 서로 다른 종족들이 살아가고 있었다. 그 종족마다 서로 다른 개성의 문화가 존재했고, 음식 문화 또한 독특한 경우가 적지 않았다.

어떤 종족은 손으로 음식을 집어 먹고, 또 어떤 종족은 소나 돼지고기를 금기(禁忌)로 여기기도 했으며, 또 어떤 종족은 독충과 독식물을 주식으로 삼기도 했다.

그렇게 나고 자란 문화가 다른 만큼 음식을 대하는 태도와 습성도 다른 게 당연했다.

그런 서로 다른 음식 문화를 두고 저질이니, 미개하다느니 하는 식으로 힐난하는 건 확실히 무지몽매(無知蒙昧)한 일이었다.

설벽린이 입을 다물자 만해거사는 껄껄 웃으며 다시 오리 구이를 와구와구 씹기 시작했다.

설벽린의 얼굴이 일그러졌다.

하지만 사람들은 그런 만해거사의 말과 행동이 마음에 들었나 보다. 특히 강만리는 보란 듯이 오리 구이 다리한 점을 쭈욱 뜯어서 산적처럼 우걱우걱 씹더니 손으로 무릎을 치며 탄복했다.

"확실히 이렇게 먹으니 더 맛있는 것 같습니다."

만해거사가 반색하며 말을 받았다.

"육즙이 더 흘러넘치니까 더 맛있을 수밖에요."

"어이쿠! 말 놓으시지요, 이제. 제 동생의 사부는 곧 제 사부와 다름이 없으니 편하게 하대하셔도 됩니다."

강만리의 말에 만해거사는 껄껄 웃었다.

"그럼 서로 편하게 말을 놓지 뭐. 그래, 아주 시원시원하고 호탕한 것이 확실히 이 무리들의 우두머리답군그래."

"별말씀을요. 그나저나 만해 사부처럼 화통하신 사부를 모시게 된 설 아우가 정말 부럽기만 합니다."

"호오, 그래? 그럼 자네도 내 제자가 되지 그래?"

"그럴 수만 있다면 영광입니다."

만해거사와 강만리는 그대로 의기투합하여 술 석 잔을 한꺼번에 마시며 껄껄 웃었다.

담우천은 여전히 무표정했고, 화군악과 장예추는 재미있다는 얼굴로 그 광경을 지켜보았으며, 설벽린과 유 노대는 각각 다른 의미의 한숨을 내쉬며 고개를 설레설레 흔들었다.

소묘아와 고로투는 두 손에 기름 흠뻑 묻혀 가면서 고기를 뜯어 먹는 중이었고, 헌원 노대는 불퉁한 표정으로 술만 연거푸 들이켰다.

아란은 묘한 얼굴로 만해거사를 지켜보았고, 고굉은 입을 쩍 벌린 상태로 만해거사와 강만리를 번갈아 바라보았다.

'도대체 어디까지 크려고…….'

고굉은 마른침을 꿀꺽 삼키며 강만리를 바라보았다. 강만리는 사부 제자 운운하면서 만해거사와 연거푸 잔을 나누는 중이었다.

'독응의선이라면 익히 나도 들어 알고 있는 기인이다. 강호 오대의선(五大醫仙) 중 한 명이지만 세상에 더할 나위 없는 괴짜인 까닭에 그에게 진찰을 받거나 치료받은 사람이 극히 드물다…….'

강호 오대의선이란, 지난 수십 년 이래로 강호에서 드높은 명성을 지닌 다섯 명의 의생들을 가리키는 말이었다.

그중 셋은 정파백도의 인물이었고, 한 명은 사마외도의 인물이었으며, 한 명은 무림인이 아니었다.

독응의선은 귀영신의와 더불어 정파에서 내노라하는 의선 중 한 명이었다.

하지만 워낙 사고방식이 독특하고 행동거지가 기상천외하여 병자나 환자들이 접근하기 까다로운 인물이기도 했다.

'그런 괴인들조차 아무 거리낌 없이 찾아와 사부가 되고 동료가 되고 벗이 되는 거야. 게다가 도대체 저 멧돼지 같은 놈에게 무슨 대단한 면이 있어서 저리도 껄껄껄 즐겁게 웃고 있는 건지 모르겠다니까.'

고굉은 생각할수록 갈피를 잡을 수가 없었다.

그저 사천 성도부의 말단 포두.

제법 실력이 좋아서 범인 검거율이 조금 높았을 뿐이지 뒷구멍으로 돈도 받고 사채도 쓰고 또 계집질도 하는, 여느 평범한 포두와 전혀 다를 바가 없었던 포두.

그가 어느 날 포두에서 잘려 나가더니 갑자기 무림인들과 얽히게 되고 심지어는 황궁까지 가서 황제를 알현했다고 한다.

그게 도화선이 되어 갑자기 화평장이라는 거대한 장원을 짓고 형제들을 끌어모아 하나의 조직을 만드는가 싶더니, 엉뚱하게도 그 조직 이름이 무림오적이라고 하는 게다.

뭐, 자기네들끼리 어울려서 그런저런 장난질을 하는 거라면 누가 뭐라고 하겠는가.

놀랍게도 놈들은 무림의 절대 권력이라 할 수 있는 철목가와 무적가와 정면으로 부딪쳐 싸웠으며, 또 더 놀랍게도 그 싸움에서 매번 승리하고 있었다.

이번의 만인평 전투에서도 그들은 승리를 거뒀으며, 거기에다가 부가적으로 독응의선이라는 기인까지 한 명 챙겨 온 것이다.

'내 앞에 있는 이 강만리라는 작자의 줄이 비록 썩은 동아줄인지는 모르겠지만……'

고굉은 거칠게 술을 들이켜고 입을 훔치며 결심했다.

'어쨌든 내 생명줄이라고 생각하고 절대 놓치지 않겠
다. 죽이 되든 밥이 되든 말이지.'

고굉이 그런 결심을 할 때였다. 대청의 문이 열리고 한
명의 잘생긴 청년이 들어왔다.

강만리의 밀명을 받고 추관 학여춘의 암중호위(暗中護
衛)를 나섰던 정유였다.


## 3. 유가축골공(瑜伽縮骨功)


"소개시켜 드리겠습니다. 무림오적은 아니지만 그래도
우리 형제 중 한 명입니다. 이름은 정유, 천맹의 태극감
찰밀 소속으로 부밀주라는 직책을 맡고 있는 아주 유망
하고 뛰어난 친구입니다."

강만리의 말에 따라 정유는 만해거사를 향해 손을 모으
고 정중히 인사했다.

"천맹의 정유가 삼가 무림의 노선배 독응의선께 인사
드립니다. 영광입니다."

만해거사는 손을 휘휘 내저으며 말했다.

"거창하게 영광은 무슨. 자자, 앉게. 그리고 술잔을 받
게. 자고로 친해지려면 술 석 잔은 기본이니까."

떠들썩한 그의 말에 정유는 저도 모르게 미소를 지으며 술잔을 들었다.

그때, 옆자리의 아란이 얼른 술을 따르자 설벽린이 눈을 부라렸다.

정유가 웃으며 말했다.

"그럼 선배님의 말씀을 따라 술 석 잔을 마시겠습니다."

정유는 단숨에 술을 비웠고 그가 술을 비울 때마다 아란이 기다렸다는 듯이 술을 따랐으며, 그녀가 술을 따를 때마다 설벽린의 눈매가 점점 더 매섭게 휘어졌다.

만해거사는 정유가 연거푸 석 잔의 술을 비우는 모습을 지켜보다가 손뼉을 치며 즐거워했다.

"좋아, 좋아! 정말이지 맘에 드는 친구들만 있군그래. 왜 이제야 이 화평장이라는 곳을 알게 되었는지 정말 아쉽기 짝이 없어!"

유 노대가 웃으며 말을 받았다.

"내 말대로 산을 내려온 게 정답이었던 게지?"

"그렇고말고. 이렇게 의기투합할 수 있는 친구들이 있다면야 왜 굳이 그 스산한 곳에서 홀로 살아가겠는가?"

만해거사는 연신 유쾌하게 떠들면서 술을 마셨다. 그러던 순간이었다. 갑자기 그의 청수한 얼굴이 형태를 잃기 시작했다.

"어?"

"어라?"

"사부!"

사람들이 깜짝 놀라 소리치는 동안에도 만해거사의 외형은 물먹은 솜처럼 점점 부풀어 오르기 시작했다.

그 변괴에 놀란 아란과 고굉이 비명을 지르며 벌떡 자리를 박차고 뒤로 물러났다.

고로투와 소묘아는 묘족의 언어로 뭔가 열심히 떠들었고, 시중을 들던 시녀와 하인들도 비명을 내지르고 저만치 도망가 있었다.

하지만 강만리를 비롯한 대부분의 사람들은 침착하게 그 광경을 주시했다. 그들은 호기심과 흥미가 담긴 시선으로 만해거사의 변화를 지켜보았다.

어느덧 만해거사의 변신은 막바지에 이르렀다.

키가 훌쩍 크고 마른 체구의 중후한 노인이었던 만해거사는 이미 사라진 후였다.

대신 그 자리에는 돼지 오줌보를 크게 부풀려 놓은 것처럼 뚱뚱하고 거대한 체구의 만해거사가 앉아서 술을 마시고 있었다.

그가 앉아 있는 의자는 비좁고 아슬아슬해서 그 무게를 견디지 못하고 금세 부서질 것 같았다. 그의 옷은 갈기갈기 찢어져서 넝마가 된 채 중요 부위만 겨우 가리고 있었다.

"이, 이 무슨 변괴인 건지……."

그새 훌쩍 자리를 박차고 뒤로 몸을 피한 고굉이 놀라 더듬더듬 중얼거리자 설벽린이 쓴웃음을 흘리며 설명했다.

"워낙 기분이 좋으신 바람에 유가축골공(瑜伽縮骨功)의 술법이 풀리는 걸 잊으셨나 봅니다."

"유, 유가축골공?"

"네. 뭐, 그게 정확한 표현인지는 몰라도 애당초 제대로 된 명칭이 없어서 제가 따로 그렇게 부르고 있습니다만……."

설벽린은 곧 만해거사의 그 놀랍고 기이하며 황당한 무공에 대해서 설명했다.

사람들은 내공을 외현화하여 근육이나 지방처럼 전신에 두를 수 있다는 술법이 존재한다는 사실에 놀라 눈을 크게 떴다.

만약 그들이 지금 이 광경을 직접 보지 못했더라면, 아무리 설벽린이 사실이라고 강조해도 결코 쉽게 믿지 못했을 이야기였다.

"그러니까 좀 더 쉽게 이야기하자면 몸 전체에 조금 특별한 호신기공(護身氣功)을 두르고 있다는 겁니다. 거기에다가 따로 내공을 끌어올리지 않아도 언제든지 내공을 운용할 수 있는 장점까지 있는 호신기공인 셈이죠."

"흠. 확실히 장점이 있는 수법이로군."

강만리가 고개를 끄덕이며 중얼거렸다. 설벽린이 계속해서 말을 이어 나갔다.

"그렇습니다. 어찌 보면 내공과 외공(外功)의 경계를 무너뜨리고 합일(合一)하여 새로운 경지를 만들어 낸, 그야말로 무림일절(武林一絶)의 무공이라고도 할 수 있습니다."

거기까지 설명한 설벽린은 한쪽 눈을 찡끗거리며 말을 덧붙였다.

"물론 보기에는 조금 그렇기는 합니다만……."

"뭐가 보기에는 조금 그렇다는 게냐?"

술을 마시던 만해거사가 불퉁거렸다.

"외모는 허상(虛像)에 불과하다. 속임수와 다를 바가 없다는 게지. 내가 만들어 낸 키 크고 홀쭉한 그 모습의 나와 지금의 내가 서로 다른 사람이더냐?"

그는 홀로 묻고 홀로 대답했다.

"아니지. 똑같은 사람이다. 같은 생각을 하고 같은 이야기를 하고 같은 행동을 하는 같은 사람이지. 그런데도 외모에 속고 홀려서 그 진실된 내면을 좇지 못한다면 그만큼 스스로가 어리고 무지하다는 뜻인 게야."

"흐흠."

"아휴."

고굉과 아란이 짐짓 헛기침과 한숨을 내쉬며 조심스레 자리에 앉았다. 그들 모두 만해거사의 이야기에 찔리는 부분이 없지 않은 듯한 얼굴이었다.

"그 옛날 석가(釋迦)께서도 말씀하시지 않았더냐? 어떤 미녀도 다 똥자루, 라고 말이다. 즉, 외모에 속지 말고 현혹되지 말라는 뜻인 게야."

말을 마친 만해거사는 다시 술을 한 잔 걸치고 오리 구이를 뜯어 먹기 시작했다.

"하지만 보기 좋은 떡이 먹기도 좋다는 말이……."

설벽린이 웃으며 말하는 순간, 강만리가 짐짓 눈을 부라렸다. 굳이 더 끌고 갈 것 없이 대충 예서 마무리 지으라는 무언의 압박이었다.

설벽린은 황급히 말을 얼버무렸다.

"아, 아닙니다. 다들 오리 구이나 먹죠."

그는 얼른 오리 구이를 뜯기 시작했다.

그 광경을 노려보던 강만리는 가볍게 한숨을 쉬고는 시중을 들던 늙은 하인을 불러 뭔가 지시를 내렸다. 그리고는 다시 정유를 돌아보며 화제를 바꿨다.

"별일 없었느냐?"

정유는 가만히 술을 따르며 말했다.

"별일 있었습니다."

강만리의 눈이 반짝였다.

"무슨 별일?"

정유는 누군가 추관 학여춘의 자택에까지 침입하려 했다가 결국 목숨을 잃은 일에 대해서 간략하게 이야기했다.

강만리는 그럴 줄 알았다는 듯이 고개를 끄덕였다.

"무적검군이나 비룡맹군이 보낸 자겠지. 제룡사의 시신들을 확인한 후, 학 영감의 입을 통해 뭔가 더 알아내려 했을 거야. 그래, 그것 말고는?"

"별일 없었습니다."

"그래? 고생했다."

강만리는 지난 닷새 동안 밤낮을 가리지 않고 학여춘 모르게 그의 안위를 지키고 보호했던 정유의 고생에 대해서 그렇게 간단하게 치하했다.

하지만 정유는 고생했다는 그 한 마디만으로도 꽤나 흡족한 듯 미소를 지으며 말했다.

"별말씀을요."

'호오.'

만해거사는 연신 오리 구이를 씹어 먹으면서도 눈을 가늘게 뜬 채 그 광경을 놓치지 않고 지켜보았다.

'아닌 게 아니라 저 강만리라는 녀석을 중심으로 똘똘 뭉쳐 있는 게 한눈에 보이는군. 그것참 재미있는 일일세.'

한눈에 보더라도 이곳에 모인 이들의 모습은 각양각색

이었다. 저마다 성격이 달랐으며 추구하는 방향이나 삶의 목표도 전혀 다르게 느껴졌다.

가령 음험한 눈동자를 연신 이리저리 굴리는 저 고굉이라는 자는 언제 동료들의 뒤통수를 쳐도 이상할 것 같지 않았으며, 음란한 몸매와 매혹적인 눈빛을 지닌 저 아란이라는 여인도 자신의 이익에 부합한다 싶으면 누구에게든 가랑이를 벌릴 것 같았다.

헌원중광이라는 늙은이는 오로지 제 할 일에만 집중하는 성격 같았으며, 고로투와 소묘아라는 소수 종족의 부부는 제대로 이 회의의 내용을 이해조차 하지 못하는 것 같았다.

담우천은 처음부터 지금까지 별말이 없었고, 화군악은 어느 방향으로 튈 줄 몰랐으며, 장예추는 신중하다 못해 겁쟁이처럼 보였으며, 설벽린은 입만 빠른 애송이에 불과했다.

'그렇다면 강만리는?'

만해거사가 본 강만리는 늙은 구렁이였다. 멧돼지처럼 살찐 여우였으며, 곰처럼 거대한 너구리였다. 상황을 제대로 파악하고 일의 경중(輕重)을 판단할 줄 알며, 시의적절하게 사람을 부릴 줄 알았다.

그야말로 임금 한 푼 안 주고 사람을 노예처럼 부리면서도 외려 사람들의 칭송을 받는 악덕 사업가. 딱 그게 만해거사가 본 강만리의 모습이었다.

또 그래서 흥미진진했다.

'그럼 나는 또 어떻게 노예처럼 부려 먹을지 궁금하군그래. 그러면서도 내 칭송을 받을 수 있을지도 기대되고.'

만해거사는 손가락에 묻은 기름과 육즙을 쩝쩝 빨면서 강만리를 지켜보았다.

강만리는 별반 다른 이야기를 하지 않았다.

식사 중에는 일 이야기를 하지 않는 성격인지, 아니면 이 안에 있는 사람들 모두에게까지 들려주고 싶지 않은 것인지 강만리는 만인평에서 벌어졌던 일들에 대해서 따로 담우천들에게 묻지 않았다.

이윽고 질펀하고 흥건하게 육즙 넘치는 식사가 끝났다. 시녀들과 하인들은 평소보다 몇 배는 더 어지럽혀진 식탁을 치우느라 고생했다.

사람들은 시녀들이 가져온 물로 손을 씻으며 웃었다.

"이렇게까지 지저분하게 먹은 건 다섯 살 이후 처음인 것 같군그래."

유 노대의 말에 화군악이 눈을 흘기며 웃었다.

"거짓말 마세요. 다섯 살 때 기억이 있으시다고요?"

"허어, 이래 봬도 어렸을 적부터 신동이라는 소리를 들었다니까."

"신동까지는 아니더라도 나 역시 다섯 살 때 기억이 있는데? 그러니까 그리 대단한 건 아니라고."

장예추가 끼어들었다.

"뭐, 갓난아기 때 엄마 젖 빨던 기억이 있는 사람도 있으니까요."

설벽린도 웃으며 대화에 합류했다. 정유가 눈을 휘둥그레 뜨며 말했다.

"그거 설마 저를 두고 하시는 말씀이십니까?"

"음? 진짜야?"

"네. 다들 믿지 않으시겠지만 제가 아기였을 때 유모의 젖을 빨았던 기억이 있거든요."

"흠. 그거 아기였을 때가 아니지 않을까?"

고굉이 음흉한 눈빛으로 말했다. 아란이 부르르 몸을 떨며 그를 힐난했다.

"그건 또 무슨 엉큼한 생각이세요?"

"엉큼하기는 뭐가 엉큼하다는 것이오? 그저 대여섯 살, 아니 서너 살 때까지 젖을 빨았을 수도 있다는 뜻인데. 외려 엉큼한 생각은 아란 소저가 하는 거 아니오?"

"제, 제가 뭐요? 아휴, 절 어찌 보고 그런 말씀을 하시는 거예요?"

"자자, 이제 그만들 하자."

강만리가 무뚝뚝하게 말하자 소란스러웠던 장내가 일시에 조용해졌다.

만해거사는 다시 한번 고개를 끄덕였다. 이 화평장의
주인이 누구인지 새삼 알 것 같았다.

강만리는 사람들을 둘러보며 말했다.

"다들 식사를 마쳤으니 볼일 있는 사람들은 가 봐도 돼."

묘한 의미의 축객령인 셈이다.

눈치 빠른 소묘아가 벌떡 일어났다.

"그럼 나는 가서 아침 수련이나 더 할래. 뭐해? 당신도
같이 가야지."

그녀는 머뭇거리던 고로투를 잡아끌며 밖으로 나갔다.

"흐음, 그럼 나는 쇠나 만지러 가 보지."

헌원중광이 자리에서 일어났다.

"엥? 저, 저도요?"

고굉이 자신을 가리키며 물었다. 강만리가 아무 말 없
이 고개를 끄덕였다.

고굉은 억울하다는 표정을 지으며 말했다.

"왜 저만인데요? 아란 소저는요?"

강만리가 한숨을 쉬며 말했다.

"아란에게는 할 말이 있거든."

"저에게는요?"

"너는 나가서 순찰이나 돌아."

"쳇!"

고굉은 자리를 박차고 일어나 대청 밖으로 나갔다. 화

군악이 그 뒷모습을 보며 나지막하게 말했다.

"고 형님에게 너무 함부로 대하시는 것 같은데요."

"그래도 돼."

강만리의 말에 화군악은 눈살을 찌푸렸다. 강만리가 그 표정을 보고는 다시 한숨을 쉬며 말했다.

"녀석에게 잘해 주면 기어오르거든. 아주 한없이 기어올라와서 머리끝에 앉으려고 하지. 머리끝에 앉아서 날 가지고 놀려고 하지. 그게 녀석의 성격이라고."

강만리는 무뚝뚝하게 말을 이어 나갔다.

"그러니 평소에는 막 대하고 함부로 대하고 거칠게 대하는 게 좋아. 그러다가 녀석이 진짜 삐치거나 화가 날 때 즈음에 한번 칭찬해 주면 돼. 그러면 녀석은 기뻐 어쩔 줄 몰라 하며 충성을 맹세하지. 뭐, 그게 며칠 가지는 않기는 하지만. 그러니까 걱정하지 않아도 돼. 그게 녀석을 다루는 방법이거든."

화군악은 물론 대청 안의 모든 이들이 그의 말에 입을 다물지 못했다.

그러거나 말거나 할 말을 다 한 강만리는 담우천을 돌아보며 본론에 들어갔다.

"그럼 이제 슬슬 만인평 전투에 대해서 자세히 듣고 싶은데요."

3장.
소야(少爺)

그 눈빛과 마주치는 순간
화군악과 설벽린은 마치 독사와 마주친 개구리처럼 꼼짝달싹도 할 수가 없었다.
차원이 다른 공포와 두려움이 그의 머릿속을 헤집었고 가슴을 후벼 팠다.

## 1. 정신적 지주

이야기를 들으면 들을수록 믿어지지 않았다.

애초에 이들 무림오적 형제들이 오대가문과 싸우고 있으며 또 그 싸움을 위해 참마봉방의 기인들의 협력을 구하고자 한다는 사실을 알고 찾아오기는 했지만, 그래도 직접 눈앞에서 철목가와 무적가를 상대로 어떻게 싸웠는지, 그리고 그 결과가 어떠했는지 듣는 건 아무리 만해거사라 할지라도 꽤나 충격적인 일이었다.

'겨우 이 다섯 형제, 거기에 몇 명의 조력자들이 합쳐졌을 뿐인데 무적가의 본진을 퇴각시키고 제갈천상의 팔하나를 자르다니……'

어디 그뿐인가.

철목가의 정예들을 패퇴시키는 것도 모자라서 무적검군을 중상에 빠뜨렸으며, 심지어 비룡맹군의 목숨까지 빼앗았다.

만약 담우천이 비룡맹군을 일격에 암살하는 광경을 직접 목도하지 않았더라면, 만해거사는 지금 그의 보고를 그저 아무렇게나 입 밖으로 내뱉는 거짓말이라고 생각했을 것이다.

"그게 만인평의 결과일세."

담우천은 담담한 어조로 말을 맺었다.

창백한 표정을 지은 채 가만히 듣고 있던 아란은 그제야 비로소 겨우 숨을 내쉴 수가 있었다.

"다행입니다."

강만리는 습관적으로 엉덩이를 긁적이며 말했다.

"그래도 대충 계획대로 잘 마무리된 것 같군요. 다들 고생하셨습니다."

'계획대로?'

만해거사는 눈을 가늘게 뜨며 강만리를 주시했다. 강만리는 설벽린을 돌아보며 다시 입을 열었다.

"그래. 갔던 일은?"

설벽린이 기다렸다는 듯이 입을 열었다.

"귀영신의 초 노사의 행적을 알게 된 까닭에 굳이 야시까지 찾아갈 이유가 없게 되어서 되돌아왔습니다."

"어디 계시는데, 지금?"

"동정호 백귀도에서 낚시 중이시랍니다."

"음?"

설벽린의 대답에 강만리는 물론 다른 사람들의 눈도 휘둥그레졌다. 설벽린이 계속해서 설명했다.

"이삼 년 전, 만해 사부를 찾아오셔서 강호무림과 사람들에 대해서 싫증을 느끼게 되었다며 잠시 동정호 백귀도에서 낚시나 하겠다고 했답니다."

만해거사가 고개를 끄덕이며 말을 받았다.

"사실이네."

설벽린은 만해거사를 힐끗 본 다음 계속해서 말을 이어나갔다.

"그리고 우리가 급하게 초 노사를 모시려 했던 이유 중의 하나가 약당(藥堂)을 맡아 주실 분이 필요했기 때문이 아니었습니까?"

"음?"

만해거사는 처음 듣는다는 얼굴로 설벽린을 돌아보며 물었다.

"설마 날?"

"물론입니다."

설벽린이 음흉하게 웃으며 고개를 끄덕였다. 만해거사

의 얼굴이 살짝 일그러졌다.

"뭐야, 그럼. 귀영신의 대신 날 선택했다는 게야? 이건 꿩 대신 닭도 아니고……."

"설마요. 귀영신의보다는 독응의선의 의술 솜씨가 훨씬 뛰어나다고 생각하는데 틀립니까?"

"응? 그, 그야……."

"그러니 꿩 대신 닭이 아니라 닭 대신 꿩이라는 거죠. 아니, 더 정확하게 표현하자면 꿩 대신 봉황이라고 할 수 있겠네요."

"정말이지 말 하나는……."

"다 사부의 은덕 덕분입니다."

"쳇!"

만해거사는 팔짱을 끼며 고개를 외로 돌렸다. 유 노대가 웃으며 그를 위로했다.

"저 언변에 자네만 당하는 게 아니네. 나도 매번 당했다네. 오죽하면 언변으로 무림오적의 한자리를 차지했다는 이야기가 있겠나?"

"유 사부, 제자를 그리 모략(謀略)하시는 게 아닙니다. 제자와 사부는 일심동체(一心同體), 제자의 수준을 보면 곧 사부의 수준을 알 수 있는 겁니다. 그러니 다른 사람들은 몰라도 유 사부, 만해 사부만큼은 저를 좀 더 높게 평가하셔야 합니다. 사부들을 위해서라도 말입니다."

"허어, 이것 보게나. 내가 한마디 뭐라 했다고 열 마디 나 하는 것 보게."

유 노대의 한숨에 만해거사가 알겠다는 듯이 고개를 끄덕이며 말을 받았다.

"아무래도 우리들 눈에 뭐가 씌웠나 보이. 그러지 않고서야 이런 녀석을 제자로 삼을 리가 없을 테니까."

만해거사가 고개를 홰홰 내저으며 넋두리를 할 때였다.

"자자, 만담은 거기까지 하시고."

강만리가 손뼉을 치며 주위를 환기시켰다.

"그럼 이제 중요한 이야기는 다 끝난 겁니까? 이대로 해산해도 괜찮겠죠?"

강만리가 사람들을 둘러보며 물었다. 또 다른 보고 사항이 없느냐는 것이었다.

그때였다.

"아!"

설벽린이 제 허벅지를 쳤다.

사람들이 그를 돌아보았다. 방금까지 웃으며 농을 즐겼던 그의 얼굴이 딱딱하게 굳어져 있었다. 설벽린은 창백하다 못해 새파랗게까지 질린 얼굴로 더듬더듬 이야기를 시작했다.

"제가…… 굳이 이렇게 빨리 돌아온 건…… 그러니까

만해 사부 일 때문만이 아닙니다. 그게…… 믿을 수 없을
정도의 괴물을 만났거든요."

"괴물?"

강만리가 의아한 표정을 지으며 묻자, 설벽린은 황급히
고개를 끄덕이며 대답했다.

"네. 괴물이요. 사람의 감정이라고는 전혀 찾아볼 수
없는, 살기(殺氣)와 악기(惡氣)와 마기(魔氣)로 똘똘 뭉쳐
져서 전혀 사람 같지 않은 괴물입니다."

설벽린은 마른침을 애써 삼키며 소야 위천옥에 대해서
이야기를 시작했다.

어떻게 그를 만나게 되었으며, 어떻게 그와 함께 술자
리를 갖게 되었는지, 그리고 어떻게 겨우 그 피에 물든
주루를 빠져나왔는지 조금의 허풍도 섞지 않고 사실 그
대로 이야기했다.

그가 이야기를 하는 동안 좌중의 안색이 기묘하게 변했
다. 몇몇 이들은 믿을 수 없다는 표정을 지었고, 또 몇몇
이들의 얼굴은 심각하게 굳어졌다. 그리고 몇몇 이는 경
악과 불신의 빛을 떠올리기도 했다.

"설마……."

화군악은 설벽린의 이야기를 들으면서 뭔가 알아차린
듯 믿을 수 없다는 표정을 지었다.

뭔가 떠오르는 생각이 있었다. 지금 설벽린이 말하고

있는 괴물이 누구인지 알 것 같았다. 그는 저도 모르게 입을 열었다.

"그 위천옥이라는 자, 소공자 아냐?"

"소공자?"

"아는 사람인가?"

사람들이 화군악을 돌아보며 물을 때, 설벽린은 기억이 난다는 듯 고개를 끄덕이며 대답했다.

"그래. 제 입으로 어렸을 적에는 소공자로 불렸다고 한 것 같아. 그런데 군악, 네가 그걸 어떻게 알고 있어?"

"아니, 형님!"

새파랗게 질린 얼굴을 한 화군악이 갑자기 빽! 하고 소리쳤다.

"형님도 그곳에 계셨잖아요!"

"응?"

설벽린은 뭐가 뭔지 몰라 어리둥절한 표정을 지으며 물었다.

"그곳? 그곳 어디?"

"아휴!"

화군악은 답답해하다가 문득 생각났다는 듯이 담우천을 돌아보며 물었다.

"담 형님! 담 형님은 기억하시죠?"

좌중의 시선이 화군악을 따라 담우천에게로 향했다. 일

순 사람들은 깜짝 놀라며 숨을 들이켰다.

'헉!'

'응? 왜 담 형님의 표정이…….'

언제나 무심하고 담담하기만 하던 담우천의 얼굴이 한껏 일그러져 있었던 것이다. 분노와 공포, 두려움과 망설임 같은 온갖 감정들이 잔뜩 헝클어져 있는 얼굴이었다.

사람들은 믿지 못하겠다는 눈빛으로 담우천의 얼굴을 바라보았다.

언제나, 그 누구를 상대하더라도, 심지어 오대가문의 가주와 맞서 싸울 때에도 표정에 단 한 점의 변화가 없던 담우천이 지금 이렇게까지 격동하는 얼굴을 보이는 것이다. 놀랍고 당황스러운 일이 아닐 수가 없었다.

"기억하지."

담우천이 희미하게 중얼거렸다.

"생전 처음 나를 꼼짝도 못하게 만들었던 그 꼬마를 어찌 잊을 수 있겠나?"

"에에?"

설벽린의 눈이 커다랗게 변했다.

"담 형님도 알고 있다고?"

"아니! 형님도 함께 있었다니까요, 그 자리에!"

화군악이 답답하다는 듯이 소리쳤다.

"왜 불산의 일, 기억나지 않아요? 처음 우리가 담 형님

을 만났을 때 밀이에요. 광동칠괴를 죽인 소년의 정체가
궁금해서 그 뒤를……."

"아, 그 꼬마!"

설벽린이 버럭 소리쳤다. 드디어 생각난 것이다.

"그래, 기억났다! 단 일격에 투신(鬪神)을 즉사시킨 그
꼬마! 그때의 그 꼬마가 소공자였지!"

소리치는 설벽린의 얼굴은 새하얗다 못해 새파랗게 질
려 있었다.

"그래! 어쩐지, 어디에서 본 것 같은 얼굴이다 했다! 왠
지 낯익다 했다! 그것도 모르고 그 왠지 모를 낯익음에
홀려서 쫄래쫄래 놈의 뒤를 쫓아다녔다니! 아아! 내가 진
짜 죽으려고 환장했었던 게로구나!"

그는 두 손을 부들부들 떨면서까지 소리쳤다.

"왜 그래요?"

옆자리에 앉아 있던 아란이 깜짝 놀라서 황급히 그의
손을 잡고 다독거렸지만 아무런 소용이 없었다. 설벽린
은 장롱에서 귀신을 본 어린아이처럼 공포에 질려 부들
부들 떨었다.

"자, 다들 조금만 침착하자."

강만리가 낮은 목소리로 말했다.

"다들 너무 요란 법석하게 떠들지 말라고. 귀신 이야기
를 듣는 세 살배기 아이들도 아니고. 아호는 물론 아창도

그렇게 무서워하지 않겠어."

기이하게도 그 낮은 목소리에는 사람들의 감정을 다스
리고 다독거려 주는 힘이 실린 듯했다. 온갖 감정의 소용
돌이 속에 휘말려 있던 이들의 표정이 천천히 원래의 모
습을 되찾기 시작했다.

'호오.'

만해거사는 눈을 가늘게 뜨고 다시 한번 강만리를 지켜
보았다.

'이제야 이 무림오적의 구심점, 정신적 지주가 누구인
지 확실히 알 수 있겠군.'

강만리는 여전히 침착하고 느긋한 얼굴을 한 채 느물거
리며 입을 열었다.

"그러니까 황계의 그 소공자가 바로 소야 위천옥이라
는 말인 게지?"

설벽린은 한결 안정된 얼굴로, 하지만 아직도 불안과
두려움이 가시지 않는 목소리로 힘겹게 대답했다.

"맞습니다, 강 형님."

"흐음."

강만리는 팔짱을 끼며 몸을 뒤로 젖혀 앉았다.

소공자에 관한 이야기는 단편적으로나마 이미 몇 차례
들어서 익히 알고 있었다.

소공자는 유령교가 맡아서 키우는, 소홍의 쌍둥이 오라

버니였다. 어쩌면 무림오적이 오대가문을 상대하는 사냥개라면, 소공자야말로 오대가문을 몰살시키는 진정한 주인공이라고 할 수 있었다.

그 소공자가 이제는 소야라는 별호를 가지고 성도부로 돌아오고 있었다.

금의환향(錦衣還鄉)인 걸까. 아니면 드디어 오대가문의 궤멸에 관한 모든 계략이 끝났다는 황계의 의지인 것일까.

강만리의 이맛살이 잔뜩 찌푸려지고 있었다.


## 2. 불산에서의 기억

'놈도 몰라보다니, 정말 바보 같으니라구.'

설벽린은 머리를 감싸 쥔 채 스스로를 타박하고 있었다.

'정말 운이 좋았던 게야. 그 악마 같은 놈 앞에서 이리저리 까불고도 여태 살아남았으니까 말이지. 놈이 누구인지 알았더라면 아예 처음부터 말도 걸지 않았을 텐데.'

설벽린은 며칠 전 기억을 떠올렸다.

당시 그는 유 노대와 만해거사의 수다를 피해 별채 밖으로 나왔다가 우연히 놈과 마주쳤다.

석등 불빛 아래로 보인 놈의 잘생긴 얼굴이 왠지 낯설지 않게 느껴졌고, 그걸 친근하게 생각한 설벽린은 자연스럽게 놈에게 말을 걸었다.

만약 그때 설벽린이 이 년 전 불산에서의 기억을 떠올려 놈이 누구인지 알았더라면 결코 그렇게 말을 붙이지 않았을 것이다.

'아니지. 놈이 누구인지 알았더라면 외려 벌벌 떨고 무서워하며 도망치려 했을 거야. 그 어색한 모습을 눈치채지 못할 놈이 아니고…… 분명 놈은 물어봤겠지. 왜 그리 날 두려워하느냐고, 내가 누구인지 아느냐고 말이야.'

또 그렇게 생각하면 놈을 몰라본 게 천운이었는지도 모른다. 놈을 알아보았더라면 그토록 자연스럽고 친근하게 말을 걸거나 행동하지 못했을 테니까.

설벽린은 그 불산에서 마주쳤던 놈을 떠올렸다.

당시 놈은 아직 어린 애송이에 불과했다. 아무리 많이 봐줘야 겨우 열대여섯 살 정도에 불과한 꼬마였다.

하지만 그 꼬마는 무적가의 삼신(三神) 중 한 명인 투신 전앙을 단 일격에 즉사시켰다.

천하에서 가장 호승심 높고 투쟁심이 뛰어나며 싸움에 관하여 그 누구에게도 질 마음이 없다던 투신 전앙은 그 꼬마가 어떻게 움직였는지도 모른 채 덮쳐들던 속도보다 몇 배는 더 빠르게 튕겨졌고, 그렇게 아무렇게나 바닥에 나동그라지는 것으로 자신의 생명을 잃고 말았다.

당시 그 자리에는 담우천도 함께 있었는데 마침 그는 무적가 삼신 중 한 명인 마신(魔神) 주유를 해치운 후였다. 그 꼬마는 자신이 투신 전앙을 해치우는 모습을 물끄러미 지켜보던 담우천을 향해 싱긋 웃으며 말을 건넸다.

"왜? 나와 싸워 보고 싶어?"

담우천은 아무 말도 하지 않았다. 아니, 하지 못했다. 아마도 담우천 또한 수풀 뒤에 숨어서 지켜보던 설벽린, 화군악과 비슷한 감정을 느꼈을 것이다.

"겁쟁이."

당시 꼬마는 담우천을 향해 그렇게 비웃었다.

그런 비웃음을 사고도 담우천은 전혀 움직이지 않았다.

사실 언뜻 보면 마신 주유를 압살한 담우천이나 투신 전앙을 즉사시킨 꼬마나 실력 차이는 크게 없을 것 같았다. 말 그대로 붙어 봐야 결과를 알 수 있는, 그런 정도의 실력들이라 볼 수 있었다.

하지만 담우천은 사자와 맞부딪친 호랑이처럼, 아니 불곰과 마주친 늑대처럼 전혀 살기를 드러내지 않았다. 꼬마의 비아냥거림 그대로 겁쟁이가 된 것처럼 그는 아무런 반응을 보이지 않았다.

설벽린과 화군악은 수풀에 숨어서 그 광경을 지켜보다

가 문득 헛바람을 들이마셨다.

'헉!'

투신 전앙을 죽인 것으로 볼일을 끝냈다는 듯 수풀 저편으로 걸어가던 소년이 마치 알고 있다는 듯 고개를 돌려 화군악과 설벽린을 쳐다보았던 것이다.

그 눈빛과 마주치는 순간 화군악과 설벽린은 마치 독사와 마주친 개구리처럼 꼼짝달싹도 할 수가 없었다. 차원이 다른 공포와 두려움이 그의 머릿속을 헤집었고 가슴을 후벼 팠다.

그랬다.

마치 투신 전앙이 그랬던 것처럼, 그리고 저 담우천이 그러했던 것처럼 화군악과 설벽린 역시 소년의 눈빛을 마주하는 순간 도저히 감당할 수 없는 거대한 공포와 두려움의 소용돌이 속에 휩싸였던 것이다.

'그래, 그랬었지! 그때 진짜 심장마비라도 걸리는 것 같았지.'

설벽린은 그 잔악한 공포와 악랄한 마기를 떠올리고는 새삼 진저리를 쳤다.

그때였다.

"그렇게 대단한가요, 그 소공자라는 사람이?"

아란이 사람들의 눈치를 살피며 입을 열었다.

지금 이 자리에 모여 있는 이들 중 소공자, 아니 소야

위천옥을 직접 본 사람은 담우천과 설벽린, 화군악뿐이
었다. 장예추나 강만리, 유 노대와 만해거사는 그저 설벽
린들의 이야기를 통해서만 접했을 뿐이었다.

하지만 비록 이야기만 전해 들었음에도 불구하고 그들
은 위천옥의 무위와 타고난 잔인함과 흉포함에 대해서
절절하게 느낄 수 있었다.

담우천이 전혀 움직이지 못했다는 사실만으로, 하마터
면 설벽린이 오줌을 지릴 뻔했다는 이야기만으로 그 압
도적인 위세를 미뤄 짐작할 수 있었다.

그러나 아란은 조금 달랐다.

실력만큼 보인다고, 아란은 위천옥의 그 위세가 와닿지
않았다. 아무리 강해 봤자 상대는 약관도 채 되지 않은
애송이였다. 강하다, 강하다 한들 그 강함이 어느 정도인
지 실질적으로 다가오지 않는 것이다.

설벽린은 한숨을 쉬며 입을 열었다.

"대단하지."

그는 잠시 생각하다가 천천히 말을 이어 나갔다.

"모르겠어. 무위로 보자면 그가 얼마나 대단한지, 담
형님보다 강할지는 모르겠어. 하지만 그가 대단한 건 무
공이나 그런 것보다…… 뭐랄까, 그 타고난 잔인함과 흉
포함이라고나 할까."

설벽린은 제대로 설명하지 못하는 안타까움을 담아 계

속해서 말했다.

"그러니까…… 사람이라면 누구나 가지고 있잖아? 정(情)이라든가 양심이라든가 일말의 죄책감이라든가. 아무런 죄가 없는 사람을 다치게 하거나 죽이면서 드는 망설임이라든지, 후회라든지 그런 것들 말이야. 하지만 그 녀석에게는 그런 게 전혀 없었거든."

설벽린은 차를 한 모금 마시면서 숨을 돌린 다음 다시 말을 이어 나갔다.

"고양이가 쥐를 가지고 노는데 양심이나 죄책감 같은 게 있을 리가 없잖아? 그런 거야. 그 녀석은 우리들, 사람들을 같은 부류라고 생각하지 않아. 그저 자신이 가지고 노는 장난감 같은 거에 불과한 거야."

아란은 설벽린이 무슨 말을 하는지 이해할 것 같았다.

하지만 또 한편으로는 '겨우 그 정도를 가지고 이렇게 유난을 떠네?' 하는 생각을 감출 수가 없었다.

'사람을 장난감 취급하는 사마외도의 작자들이 세상에 어디 한두 명이어야 말이지.'

비록 삼십 년도 안 된 삶이기는 했지만 그래도 지금껏 살아오면서 아란은 정말 사람 같지 않은 작자들을 수없이 만나고 상대했다.

그들 모두 사람을 장난감 취급했으며, 또한 사람의 마음을 배신하고 믿음을 저버리는 것에 희열을 느꼈다. 제

멋대로 재물을 강탈하고 사람을 죽이고 강간하는 건 물론, 심지어는 식인(食人)까지 하는 자들도 있었다.

아란은 그런 악인들과 소야 위천옥이라는 자가 크게 다를 바가 없다고 생각했다. 그저 그런 악인들보다 조금 더 강하고, 조금 더 잔악할 뿐이라고 여겼다.

"그나저나 너무 과민하게 반응하는 거 아니에요?"

아란은 아직도 부들부들 떨고 있는 설벽린을 힐끗거리며 그렇게 물었다.

"그 소공자가 황계 측 사람이라면 어쨌든 우리 편이라고 할 수 있잖아요? 그러니 겁에 질리려면 오대가문 사람들이 질려야지, 우리가 질리면 어떡해요?"

그녀의 말에 설벽린은 입을 벙긋거렸다.

하지만 곧 피아(彼我)를 가리지 않고 공포와 두려움을 주는 위천옥의 그 잔악한 기운은 직접 보지 않고서는 결코 이해할 수 없다는 생각이 들었는지, 설벽린은 고개를 설레설레 흔들며 입을 다물었다.

마치 그 대신처럼 강만리가 입을 열었다.

"맞는 말이다."

사람들의 시선이 그에게로 향했다. 강만리는 무뚝뚝한 어조로 말을 이었다.

"아란의 말이 맞다. 괜히 벌써부터 과민 반응을 할 필요는 없지. 상대가 어떻게 나오는지 봐 가면서 대응해도 늦지 않을 테니까."

"제 말이 바로 그 말이에요."

아란이 가슴을 내밀며 말했다.

설벽린은 입을 삐죽이다가 그녀의 풍만하며 육감적인
가슴을 보고는 저도 모르게 마른침을 삼켰다. 그리고 보
니 꽤 오랫동안 계집의 속살 맛을 보지 못했다는 생각이
들었다. 아랫도리가 불끈거리기 시작했다.

"그럼 소야라는 친구에 대한 이야기는 그것으로 끝내
기로 하고."

강만리는 그렇게 화제를 전환하고는 만해거사를 바라
보며 천천히 입을 열었다.

"우리 사정이 이렇습니다, 만해 사부."

만해거사는 뚱뚱한 배를 만지작거리며 아무 말 없이 강
만리를 바라보았다. 강만리는 자신보다 훨씬 뚱뚱한 만
해거사의 배를 힐끗거리며 말했다.

"전면(前面)의 오대가문은 물론, 후면(後面)의 적까지
염두에 두어야 하는 처지입니다. 어찌 보면 사방이 적이
라고 할 수 있는데…… 이런 상황에서도 우리에게 도움
의 손길을 주실 수 있으신지요?"

강만리는 진중하게 물었다.

사람들의 얼굴이, 특히 설벽린의 표정이 딱딱하게 굳어
졌다.

강만리의 질문은 중요했다.

대충 무림오적에 대해서 알고 찾아왔다고는 하지만, 만해거사가 직접 보고 듣고 확인한 현재 상황에 대한 판단은 또 다를 수가 있었다.

생각보다 무림오적이 더 사마외도라고 여길 수도 있었고, 너무 적이 많은 게 아닌가? 하는 생각이 들 수도 있었다.

또 위천옥에 대한 두려움이 있을 수도 있었으며, 무엇보다 이곳 대청에 모여 있는 사람들이 자신의 마음에 들지 않을 수도 있었다.

설벽린은 마른침을 꿀꺽 삼키며 만해거사의 얼굴을 바라보았다. 위천옥 때와는 또 다른 의미로 가슴이 두근거리고 있었다.

만해거사는 천천히 좌중을 훑어보았다. 그들의 면면을 보고 그 표정을 읽었다. 문득 설벽린과 눈이 마주친 그는 피식 웃으며 입을 열었다.

"뭘 그리 긴장하고 있느냐? 아직도 네 사부의 성격을 알지 못하고 있느냐?"

설벽린은 그제야 한숨을 쉬며 웃었다.

"하하, 누가 긴장했다고 그러세요. 당연히 사부를 믿고 있었죠."

"그래?"

만해거사는 싱긋 웃은 후 강만리를 향해 말했다.

"적이 많고 강할수록 흥분되는 게 바로 이 늙은이의 습성이라네. 걱정하지 마시게."

"감사합니다."

강만리는 자리에서 일어나 손을 모았다.

"더불어 참마봉방의 다른 분들까지 잘 부탁드리겠습니다."

"응? 그것까지?"

"그것까지가 만해 사부께서 해 주셔야 할 일이거든요."

강만리는 씨익, 순박하게 웃으며 말했다. 만해거사는 설레설레 고개를 내저으며 한숨을 내쉬었다.

"갑자기 범정산이 그리워지는군그래."


## 3. 부부 싸움

늙은 하인이 강만리에게 다가와 귀엣말을 건넸다. 식사 도중 강만리가 뭔가 지시를 내렸던 그 하인이었다.

강만리가 고개를 끄덕였고 늙은 하인은 이내 자리를 떴다.

"자, 그럼."

강만리가 손뼉을 치며 사람들의 이목을 집중시켰다.

"어느 정도 이야기를 나눈 것 같으니 다들 볼일들 보시기를. 아, 그리고 만해사부는 저와 함께 가시죠."

"응? 어딜?"

만해거사가 고개를 쳐들며 물었다.

"장원을 안내해 드리겠습니다."

강만리는 자리에서 일어나며 말을 이었다.

"게다가 마침 만해 사부의 새 옷도 준비된 것 같으니까
요."

"아, 옷?"

만해거사는 그제야 깨달았다는 듯이 제 몸을 둘러보았
다. 몸이 몇 배나 비대해지는 바람에 입고 있던 옷이 갈
기갈기 찢어져서 넝마가 되어 있었다.

"하하, 아닌 게 아니라 조금 부끄러운 모양새군그래."

만해거사는 자리에서 일어나려고 허우적거렸고, 옆자
리의 유 노대가 부축해서야 겨우 중심을 잡고 일어설 수
있었다.

강만리는 무심한 눈빛으로 지켜보다가 유 노대와 만해
거사가 일어나자 그들과 함께 대청을 벗어났다.

"그럼 나도 잠시 쉬러 가 보겠네."

담우천이 그 뒤를 따라 자리에서 일어났다.

물론 쉬러 간다는 건 핑계였다. 내당 유운각에 머무르
고 있는 담호와 담창, 보보가 보고 싶었던 것이다. 그리고
그 아이들과 함께 있는 소화를 만나고 싶었던 것이리라.

"아, 형님 같이 가요."

화군악이 담우천을 부르며 일어났다.

"소군이 잘 있는지 보고 싶거든요."

소군은 화군악의 딸이었다. 화군악의 부인인 정소흔이 당혜혜들과 함께 사천당문으로 여행을 떠난 뒤 이 화평 장의 모든 아이들은 소화가 시녀들과 함께 돌보고 있었 다.

"잠깐만."

장예추가 막 자리에서 일어서는 화군악의 팔을 붙잡았 다.

"왜?"

화군악이 내려다보자 장예추가 한쪽 눈을 찡긋거리며 말했다.

"자네에게 할 이야기가 있거든. 그러니 소군은 나중에 만나도록 해. 그래도 늦지 않을 테니까."

화군악은 무슨 영문인지 모르겠다는 표정을 지었다. 하 지만 순순히 장예추가 이끄는 대로 자리에 앉으며 말했 다.

"뭐, 그래도 되기는 하니까."

"그럼 나 먼저 가 보겠네."

화군악을 기다리고 있던 담우천이 대청을 빠져나갔다. 장예추가 화군악에게 눈치를 주며 말했다.

"평소에는 안 그러는데 이럴 때 보면 정말 눈치가 없다니까."

화군악이 눈을 크게 뜨며 물었다.

"뭐가?"

"아니, 담 형님이 둘째 형수를 만나러 가는데 꼭 그렇게 쫄레쫄레 따라가야겠어?"

"응? 아……."

뒤늦게 무슨 뜻인지 이해한 화군악이 피식 웃으며 고개를 끄덕였다.

"그렇네. 확실히 눈치 없는 행동을 한 거네."

"그렇지."

장예추도 따라 웃으며 뭐라 말하려는 순간, 때마침 정유가 자리에서 일어났다. 정유는 화군악과 장예추가 자신을 돌아보자 빙긋 웃으며 말했다.

"눈치 없는 행동은 아니니 걱정 말게. 그저 며칠 제대로 자지 못해서 눈 좀 붙이려는 것뿐이니까."

아닌 게 아니라 정유는 학여춘을 암중 호위하는 동안 제대로 잠 한숨 자지 못했던 참이었다. 지금도 눈꺼풀이 천근만근 무거워서 금방이라도 쓰러질 것만 같았다.

"아, 네."

"얼른 들어가 쉬세요."

정유는 화군악과 장예추의 배웅을 받으며 대청을 나섰다.

그렇게 하나둘씩 사람들이 자리를 떠나고 이제 대청에
는 화군악과 장예추, 설벽린과 아란만이 남아서 차를 마
시며 대화를 나누기 시작했다.

"궁금한데요."

아란이 눈을 동그랗게 뜨며 입을 열었다.

"아까도 물어봤지만 명확한 답변을 듣지 못한 것 같아
서요. 그 위천옥이라는 아이 말이에요, 여러분들보다 훨
씬 강한 건가요? 담 오라버니보다도 더요?"

일순 화군악과 설벽린의 얼굴이 살짝 굳어졌다.

"안 그래도 마침 나도 궁금해하고 있던 거네."

장예추가 찻잔을 내려놓으며 화군악을 향해 물었다.

"그렇게나 그 친구가 강해?"

"음."

화군악은 고민하며 입을 열었다.

"설 형님이 말한 그대로야. 무위 면에서는 담 형님과
비교해서 누가 더 강하다고 딱 부러지게 말할 수는 없어.
하지만……."

"상대에게 주는 공포감이 다르다?"

"그래, 바로 그거야."

"흠. 진짜 직접 만나 봐야 얼마나 대단한지 알 수 있겠
군그래."

장예추의 말에 설벽린이 끼어들었다.

"맞아. 직접 봐야만 그 녀석이 얼마나 무섭고 두려운지 알 수 있을 거야."

그렇게 말하는 설벽린의 얼굴에는 아직도 두려움의 빛이 묻어나고 있었다. 아란이 눈을 흘기며 말했다.

"진짜 당신은 겁쟁이라니까."

"겁쟁이는 무슨?"

설벽린이 눈을 부라리며 말했다.

"그럼 군악은? 담 형님은?"

"뭐 그거야 다들 몇 년 전에 만났으니까. 지금은 분명 확실히 다르실 거라고. 그때보다 훨씬 더 강해지셨잖아?"

"녀석도 강해졌거든!"

화군악과 장예추는 두 사람의 대화를 듣다가 저도 모르게 한숨을 내쉬었다. 화군악이 고개를 설레설레 흔들며 중얼거렸다.

"꼭 애들 싸우는 것 같아."

장예추가 웃으며 말했다.

"하지만 우리 부부도 싸울 때는 저렇게 애들처럼 싸운다고."

"그거야 뭐, 부부니까. 원래 부부 싸움은 애들 싸움 같은 거야. 응?"

화군악은 문득 깨달았다는 듯이 눈을 크게 뜨고 설벽린

과 아란을 돌아보았다. 설벽린이 그 눈길을 의식하고 버럭 성질을 냈다.

"뭐? 왜 그런 눈빛으로 보는데?"

"아니에요."

화군악은 어깨를 으쓱거리며 웃었다.

"그저 정말 두 분이 너무 잘 어울린다는 생각이 들어서요."

"무, 무슨 헛소리!"

"그건 또 무슨 소리예요?"

동시에 반발하는 설벽린과 아란의 얼굴이 홍시처럼 붉게 달아올랐다.

4장.

분노(忿怒)

"오대가문은 각 가문의 본산에 있는 무사들이 그 세력의 전부가 아니라네.
종(縱)과 횡(橫)으로 이어지고 엮인 인맥들,
정사대전 이후 은거하고 있는 전대(前代)의 기인들, 거기에 태극천맹까지…….
그 모든 것들을 합쳐야 비로소 오대가문의 진정한 위력이 나오는 게지."

## 1. 첫사랑, 풋사랑, 짝사랑

"들어올 때도 느꼈지만 일개 장원이라고 볼 수 없을 정
도로 삼엄한 곳이군."

호박처럼 둥근 체구의 만해거사는 힘겹게 뒷짐을 진 채
장원을 둘러보며 그렇게 말했다.

어느새 만해거사는 새 옷으로 갈아입은 후였다.

강만리의 지시를 받는 그 늙은 하인의 재주가 참으로
용하다 싶은 게, 이 짧은 시간 내에 어디서 어떻게 구했
는지는 몰라도 그 거대한 호박과도 같은 체구에 딱 맞는
옷을 구해 온 것이었다.

지금 만해거사의 옆에는 유 노대와 강만리가 서 있었

다. 만해거사의 말에 강만리가 쑥스럽다는 듯이 말했다.

"그저 살아남기 위한 발버둥입니다."

"발버둥치고는 상당히 요란한데? 망루의 쇠뇌들도 그렇고 장원 주변에 펼쳐진 진법도 그렇고. 게다가 조금 전 자네가 설명한 대로라면 어지간한 고수들이라 할지라도 이 장원에 발을 들여놓는 순간 온갖 함정과 암기, 기관진식에 의해 목숨을 잃을 것 같은데."

만해거사는 말을 편하게 하라는 강만리의 이야기가 떨어지자마자 자식 대하듯 혹은 제자 대하듯 스스럼없이 말을 놓았다.

어찌 보면 무례할 법도 했지만, 강만리는 외려 그런 만해거사의 성격이 마음에 든 모양이었다.

그는 진지하게 대답했다.

"어쨌거나 이곳에는 제 가족들, 그리고 형제들의 가족들도 함께 사니까요. 부인들은 물론 갓난아기까지 있는데, 최소한 그들의 안전만큼은 반드시 지켜 주고 싶습니다. 그런 의미에서 아직 부족해도 한참 부족합니다."

거기까지 말한 강만리는 살짝 망설이다가 말을 이어 나갔다.

"애초의 계획은 이곳을 버리고 심산유곡(深山幽谷) 같은 곳을 찾아서 비밀리에 새로운 장원을 세울 작정이었습니다만, 그래 봤자 오대가문이 작정하고 찾기 시작한

다면 얼마 가지 못하고 발각될 거라는 형제들의 조언에
포기했습니다."

"흠. 맞는 말일세."

만해거사는 고개를 끄덕이려 했지만 축 늘어진 턱살이
방해하는 바람에 눈만 끔뻑거렸다.

"오대가문은 결코 만만한 상대가 아닐세. 비록 자네들
이 계략을 세워 철목가와 무적가를 상당히 곤란한 지경
에 빠뜨렸다고는 하지만, 그게 오대가문의 전부라고 생
각한다면 큰 오산일세."

"알고 있습니다."

"오대가문은 각 가문의 본산에 있는 무사들이 그 세력
의 전부가 아니라네. 종(縱)과 횡(橫)으로 이어지고 엮인
인맥들, 정사대전 이후 은거하고 있는 전대(前代)의 기인
들, 거기에 태극천맹까지……. 그 모든 것들을 합쳐야 비
로소 오대가문의 진정한 위력이 나오는 게지. 아, 물론
지금의 태극천맹은 조금 다르려나?"

당금 태극천맹에 가입한 문회방파의 모든 인원을 합치
면 대략 오십만 명 정도가 되었다. 그중에서 일반 식솔들
과 하인, 시녀들을 제외한다면 약 이십만 명 정도가 무공
을 사용할 줄 아는 무림인이었다.

또 그 이십여 만 명 중에서 적극적으로 활동하거나 태
극천맹에 적(籍)을 두고 직책을 받은 이들이 대략 절반가

량 되었으니, 태극천맹만으로 대륙 주변의 나라들을 괴
멸시킬 수 있다는 말이 괜히 나온 게 아니었다.

"태극천맹의 맹주가 오대가문과 반목하고 있다는 이야
기는 벽린에게 들어서 익히 알고 있네. 또 내가 범정산을
내려와 이곳으로 온 이유 중 하나가 그것이기도 하고."

평소와는 달리 지금의 만해거사는 진지했다. 어쨌든 오
대가문을 적으로 돌리고 싸워야 하는 상황이었다. 진지
하지 않을 수가 없는 것이다.

"하지만 태극천맹의 맹주가 곧 태극천맹인 것은 아니
라네. 맹주를 따르는 이들이 절반이라면 아직까지 오대
가문을 추종하는 이들도 그 정도 될 것이네."

"저도 그래서 태극천맹의 도움은 전혀 생각하지 않습
니다."

"도움은커녕 방해만 하지 않더라도 다행일 걸세."

"문제는 오대가문의 인맥이 어디까지인지, 그리고 무
적가의 제갈천상처럼 현재 은거하고 있는 오대가문의 전
대 기인들이 얼마나 되는지 정확하게 파악하지 못했다는
점입니다."

강만리는 차분하게 말했다.

"물론 황계나 흑개방을 통해 수시로 정보를 받고는 있지
만, 그들 또한 모든 걸 완벽하게 다 아는 게 아니라서……."

"붕방의 늙은이들이 도움이 될 게야."

만해거사가 말했다.

"다른 건 몰라도 대부분 오지랖 넓고 사람 사귀기 좋아하는 늙은이들이라 오대가문의 전대 장로나 고수들이 어디에 있는지 얼마나 살아 있는지 어느 정도는 알고 있을 것이야."

"그래서 귀영신의 초유동, 초 노야를 찾으려 했던 겁니다."

"흠, 이곳 철목가와 무적가의 상황이 정리되는 대로 벽린과 함께 찾아가 봄세."

"아니, 만해 사부께서 직접 가실 필요는 없을 듯합니다. 무엇보다 만해 사부께 부탁드릴 일이 너무 많거든요."

"이야기를 들어 보니 약당의 당주 노릇을 하라며?"

만해거사의 말에 강만리가 실웃음을 흘리며 말했다.

"저도 이야기를 들어 보니 만해 사부께서 진법에도 해박한 지식을 가지고 계시다고 해서요."

만해거사가 눈살을 찌푸렸다.

"진법도?"

"네. 안 그래도 화평장 주위에 설치된 진법이 아직 완성되지 못해서요. 만해 사부께서 제일 먼저 해 주실 게 그 진법을 완성해 주시는 일입니다."

"흠."

만해거사는 삼중으로 늘어진 턱을 매만지며 물었다.

"내 입맛대로 뜯어고쳐도 괜찮나?"

"바라던 바입니다."

"알겠네. 그럼 내 멋대로 한번 해 보겠네."

"고맙습니다."

강만리가 허리를 숙이고 다시 펴자, 만해거사는 입맛을 다시며 화제를 바꿨다.

"그런데 말일세."

"네, 말씀하십시오. 필요한 게 있으시면 무엇이든……."

"아니, 그런 게 아니라……."

만해거사가 잠시 말꼬리를 흐리자 잠자코 듣기만 하던 유 노대가 피식 웃으며 입을 열었다.

"대부인이 언제쯤 돌아오시냐고 묻는 걸세."

강만리는 단추 구멍만 한 눈을 동그랗게 뜨며 물었다.

"대부인이라면…… 야래향을 말씀하시는 겁니까?"

만해거사는 그 뚱뚱한 몸을 비비적거리며 말했다.

"그, 그렇지. 우 소저 말일세."

'우 소저?'

강만리가 만해거사가 부끄러워하는 모습에 살짝 당황해할 때, 유 노대가 다시 끼어들었다.

"그 우 소저가 이 친구 첫사랑이었다네. 물론 짝사랑에 그치기는 했지만 말일세."

"허, 허험. 짝사랑이라니!"

만해거사가 헛기침을 하며 말했다.

"나름대로 서로 교감을 나누는 그런 감정이었지. 치기 넘치는 젊은이들의 육정(肉情)이 아닌, 말 그대로 이성과 지성을 갖춘 어른들의 진실한 사랑이라고나 할까?"

"헛소리."

유 노대가 껄껄 웃으며 말했다.

"나는 아직도 자네가 그날 밤 꺼이꺼이 울던 모습을 기억하고 있는데, 지성과 이성은 무슨 얼어 죽을."

"허어 참, 자식뻘 되는 사람 앞에서 할 말 못 할 말이 따로 있지. 무슨 그런 말도 안 되는 농을……."

"흠, 뭐 농이라고 치자고. 하지만 그때 자네와 그녀 모두 똑같은 감정이었는지 아닌지는 그녀에게 물어보면 알게 될 테니까."

"아, 아니! 물어보기는 뭘 또 물어본다는 겐가?"

만해거사가 다급하게 말했다.

"젊은 시절 풋사랑 같은 감정이네. 그런 걸 여태 마음속에 두고 있는 게 이상하지. 우리 나이가 되어서 그보다 더 깊고 진한 사랑을 안 해 봤다면 그게 이상하지 않겠나?"

"하지만 자네는 여태 마음속에 두고 있잖은가?"

"무슨 소리. 이미 까마득하게 잊었네."

"그럼 왜 그녀가 언제 돌아오는지 묻는 게지?"

"그야 그저 오랜 옛 친구의 근황도 궁금하고 또 어떻게 변했을까, 그 주름진 얼굴에 옛 모습의 흔적이 남아는 있을까? 하는 궁금증 때문이지. 허허, 아직도 내가 그녀에게 마음이 있다고 생각한다면 그야말로 나를 너무 순진하고 어리숙하게 생각하는 게야."

만해거사는 가뜩이나 튀어나온 배를 앞으로 더 내밀며 말했다.

"이래 봬도 그동안 수십 명의 여인과 사랑을 나눈 몸일세. 예전의 그 순진무구했던 젊은이는 이미 오래전에 사라졌다네."

"호오. 정말인가? 아직도 동정이 아니고?"

"동정은 무슨. 내가 괜한 말을 하겠는가? 나도 꽤 치열하게 살아왔다니까. 아아, 서장(西藏)의 그 이국적인 미녀들이 새삼 그립군그래."

만해거사가 으쓱할 때였다.

남쪽 망루에서 호각 소리가 들렸다. 길게 한 번, 짧게 두 번 이어지는 소리였다.

일순 두 노인의 티격태격하는 모습을 웃는 낯으로 지켜보던 강만리의 안색이 살짝 변했다. 두 노인도 다툼을 멈추고 안색을 굳힌 채 강만리를 돌아보았다.

다시 호각 소리가 이어졌다. 이번에는 길게 두 번, 짧게 한 번.

마치 다른 어딘가로부터 연락을 주고받는 것처럼, 망루

에서 주변 경계를 선 무사들은 그렇게 약간의 시간 차를
두고 몇 차례나 호각을 불었다.

강만리는 굳은 얼굴로 가만히 그 호각 소리를 들었다.
두 노인도 입을 다문 채 강만리의 표정 변화에 집중했다.

뭔가 위기가 찾아온 것일까.

두 노인의 표정 또한 심상치 않게 변할 때였다.

"놀랍군요."

강만리가 진지한 얼굴로 말했다.

"사천당문에 가셨던 대부인 일행께서 지금 돌아오시는
중이랍니다."

만해거사의 얼굴이 딱딱하게 굳어졌다. 강만리가 계속
해서 말을 이었다.

"이제 막 남문을 통과하셨답니다. 마차로 이동 중이니
까, 앞으로 반 시진 안에 도착하실 것 같습니다."

유 노대가 흐흐, 웃으며 그의 옆구리를 툭 건드렸다.

"과연 어떻게 변했는지, 예전에 자네가 사모했던 그 모
습의 흔적이 남아 있는지 확인할 수 있겠구먼. 어라?"

짓궂게 말하던 유 노대의 눈이 휘둥그레졌다.

어느새 만해거사의 체형이 호리호리하고 홀쭉하게 변
해 있었다. 조금 전의 그 거대한 호박과도 같은 모습은
신기루처럼 사라지고 보이지 않았다.

만해거사가 입을 열었다. 듣기 좋은 묵직한 저음의 목

소리가 살짝 떨리듯 흘러나왔다.

"이 정도면 나도 옛 모습 그대로이겠지?"

피식 웃으려던 유 노대는 문득 정색을 하고 진지하게 고개를 끄덕이며 대답했다.

"물론이네. 확실히 옛날의 청수하고 중후한 그 모습 그대로일세."

만해거사가 힘겹게 미소 지었다.

강만리는 가만히 그들의 모습을 지켜보다가 조금 호들갑스러운 목소리로 말했다.

"대부인께서 만해 사부를 보면 깜짝 놀라시겠습니다. 하지만 그 전에 먼저 옷을 갈아입으셔야 할 것 같습니다."

"그렇지? 잘 좀 부탁하네."

만해거사는 축 늘어진 제 옷을 돌아보고는 쑥스러운 표정을 지으며 말했다.

"그럼 유 노대께서 만해사부를 객당(客堂)으로 안내해 주시지요. 저는 곧 옷을 준비해서 가겠습니다."

강만리는 뒤돌아서며 속으로 한숨을 내쉬었다.

'그나저나 옷이 문제로군그래.'

그는 엉덩이를 긁적이며 생각했다.

'만해 사부의 체형에 맞게 늘어났다 줄어들었다, 하는 옷이 어디 없을까?'

## 2. 패전보(敗戰報)

콰앙!

그가 내리친 주먹에 팔걸이가 박살 났다. 산산이 조각
난 파편이 사방으로 튀었고, 주변에 있던 벌거벗은 여인
들의 몸에 비수처럼 날아가 박혔다.

"아악!"

"악!"

여인들이 내지른 새된 비명이 가뜩이나 분노한 그의 성
질을 건드렸다. 그는 손을 뻗어 가장 가까이에 있던 여인
의 두 다리를 붙든 다음 그대로 찢었다.

"아아아악!"

여인의 비명이 객청을 가득 메웠다. 벌거벗은 여인의
다리가 마치 닭 다리처럼 찢어지며 피가 사방으로 튀었
다.

그 광경을 본 다른 여인들은 겁에 질린 나머지 마구 비
명을 내지르며 벌거벗은 몸 그대로 객청에서 빠져나가려
했다.

"어딜!"

그는 용납하지 않았다.

도주하려는 여인의 등을 향해 찢어발긴 다리를 던져서
격중시켰다. 다리는 제대로 날이 선 창처럼 여인의 등을

관통하여 복부로 튀어나왔다.

또 다른 여인 역시 그가 내던진 다리에 머리통이 박살 난 채 그대로 꼬꾸라졌다.

남은 여인 역시 그가 내뱉은 가래침에 격중당했다. 가래침은 마치 비수처럼 정확하게 여인의 목을 뚫고 벽을 강타했다. 그 충격에 지진이라도 난 것처럼 객청 전체가 크게 흔들리면서 흙먼지가 사방에서 떨어졌다.

삽시간에 네 명의 벌거벗은 여인들이 목숨을 잃었다. 조금 전까지만 하더라도 그의 다리와 허벅지, 양물과 가슴을 애무하던 여인들이 피투성이가 된 채 참혹한 모습으로 아무렇게나 널브러졌다.

그럼에도 불구하고 그의 분노는 가라앉지 않았다. 아니, 시간이 흐를수록 기름이라도 붓는 것처럼 그의 분노는 더욱더 활활 타올랐다.

그의 주변은 그가 뿜어내는 분노의 열기로 뜨겁게 달구어졌다. 모든 것이 녹아내릴 지경이었다.

'이제 죽었구나.'

항조군은 눈앞이 캄캄했다.

바닥에 바짝 엎드린 그의 뒤통수는 용암처럼 뜨거운 분노로 인해 금방이라도 녹을 것만 같았다.

그의 옆에는 두 명의 무사가 항조군과 똑같이 오체복지(五體伏地)하고 있었다.

그들은 비룡맹군과 무적검군의 지근거리에서 그들의 수발을 드는 최선임 부관들로, 이번 만인평 전투에 대한 결과 보고를 하는 중이었다.

사실 원래라면 이곳에 있을 사람은 그들이 아니었다. 비룡맹군과 무적검군이 직접 자리에 나와 가주에게 보고를 해야만 했다.

하지만 비룡맹군은 누군가의 암습에 의해 목숨을 잃었으며, 무적검군은 꽤 엄중한 내상을 입은 채 아직도 정신을 차리지 못하고 있었다.

패잔병들을 이끌고 성도부로 돌아온 두 명의 최선임 부관들은 먼저 항조군부터 찾았다.

그들도 당연히 가주의 성격을 잘 알고 있었기에, 총관을 통해 결과를 보고하고 그가 가주에게 보고 내용을 전달해 주었으면 하는 생각에서였다.

그러나 총관 항조군은 그들의 생각대로 움직이지 않았다.

"보고는 직접 하시게."

항조군은 단호하게 잘라 말했다.

승전보(勝戰報)도 아닌 패전의 보고였다. 그것도 한 명의 군주가 죽고, 한 명이 중상을 입은 패전에 대한 보고였다. 그 모든 책임을 홀로 뒤집어쓸 이유가 전혀 없었던 것이다.

그렇게 해서 세 사람은 함께 가주를 찾았다.

마침 가주 정극신은 네 명의 아름다운 성도부 기녀들과 함께 뜨거운 육정을 나눈 참이었다. 꽤 오래간만에 흡족할 만한 정사였는지 정극신은 미소를 지으며 항조군과 선임 부관들을 맞이했다.

"그래, 무슨 일이냐?"

정극신의 유쾌한 목소리에 항조군은 순간적이나마 혹시 하는 생각을 했다. 물론 그 생각은 부관들의 보고가 끝나기도 전에 박살 났지만.

순식간에 네 명의 여인들을 죽이고서도 정극신은 화를 가라앉히지 못했다. 손에 집히는 건 무엇이든 집어던졌고, 있는 힘껏 진각(震脚)을 구르는 바람에 객청 바닥이 푹 꺼지듯 내려앉았다.

납작 엎드린 항조군과 부관들의 등에 온갖 파편들이 날아와 꽂혔다. 파편들은 비수처럼, 창날처럼 그들에게 지독한 고통을 안겨 주었다.

하지만 세 사람은 결코 신음을 흘리지 않았다. 신음을 내는 순간 그들은 비명에 죽어 간 여인들처럼 그렇게 목숨을 잃을 게 뻔했으니까.

그들은 이를 악문 채 숨소리 하나 내지 않고 분노의 폭풍이 지나가기만을 기다리고 또 기다렸다.

얼마나 시간이 흘렀을까.

단 한 마디 말도 없이 의자나 차탁을 모조리 박살 낸 정극신은 흐트러진 머리를 쓸어 올려 단정하게 만들며 천천히 입을 열었다.

"그래, 무적검군을 빈사 상태로 만든 건 제갈천상이라고 했지?"

　그의 목소리는 차분하게 가라앉아 있었다. 지금껏 미친 듯이 화를 내고 활화산처럼 분노를 터뜨린 사람이라고는 전혀 생각할 수 없을 정도의 냉정한 음성이었다.

"그렇습니다."

　무적검군의 선임 부관이 부들부들 떨며 대답했다.

"하지만 검군께서도 놈의 팔 하나를 박살 냈으니……."

"그만해라."

"죄, 죄송합니다."

"겨우 팔 하나 못 쓰게 만든 걸 가지고 무슨 자랑이라고 그리 떠드느냐?"

"주, 죽을죄를 지었습니다."

"그래, 무적검군은 그렇다 치자. 그런데 비룡맹군은 뭐냐? 누가 그를 죽였는지조차 모르겠다니, 그게 말이 되는 소리이더냐?"

　이번에는 비룡맹군의 선임 부관이 잔뜩 겁에 질린 채 입을 열었다.

"그, 그게…… 퇴각 준비를 마치고 보고하러 왔을 때는 이미 절명한 상황이어서……. 누구도 맹군께서 쓰러지시는 모습을 보지 못하고…… 워낙 주변에 안개가 많이…….”

“됐다. 무슨 말을 하는지 하나도 알아듣지 못하겠구나.”

정극신은 서늘한 목소리로 말했다. 부관은 황급히 이마를 바닥에 찧으며 잘못을 빌었다.

“죄, 죄송합니다! 주, 주, 죽을…….”

“됐다니까.”

정극신은 한숨을 쉬며 말했다.

“그 입 한 번 더 열면 진짜 죽을 것이다.”

“죄…….”

겁에 질린 선임 부관이 저도 모르게 다시 한번 죄송하다고 말하려 하자, 항조군은 얼른 그의 옆구리를 쳐서 정신을 차리게 했다.

“다행인 줄 알아라.”

정극신은 얼음처럼 차가운 시선으로 그들을 내려다보며 냉랭하게 말했다.

“아직 네놈들이 해야 할 일들이 남아 있기에 살려 둔다는 걸 말이지. 그리고 네놈들 대신 애꿎은 저 아이들이 피를 보고 목숨을 잃었다는 사실에 감사해라.”

“주, 주군의 은혜에 감사드립니다.”

“가, 가, 감…….”

두 부관은 눈물을 흘렸고, 항조군은 내심 안도의 한숨

을 내쉬었다.

피를 볼 만큼 봤으니 적어도 오늘 하루만큼은 별다른 일 없이 지나갈 수 있을 것이다. 말 그대로 별다른 일이 생기지 않는 한에는.

그때였다.

"가서 비룡맹군의 시신을 가져와라."

정극신의 엉뚱한 명령이 떨어졌다. 항조군이 황급히 자리에서 일어나려 할 때 정극신이 고개를 저으며 다시 명령을 내렸다.

"아니, 총관은 금강을 불러오고, 너희들이 가서 시신을 가져와라."

두 명의 부관들은 제대로 대답조차 하지 못하고 허둥지둥 일어나 재빨리 객청을 빠져나갔다.

따로 지시를 받은 항조군도 자리에서 일어났다.

금강이라면 금강천군을 이르는 말이었다. 그리고 지금 금강천군은 십삼매의 행방을 수소문하기 위해 성도부 곳곳을 돌아다니는 중이었다.

"명을 따르겠습니다."

항조군은 서둘러 자리를 뜨려 했다. 하지만 그보다 먼저 정극신의 말이 이어졌다.

"그 전에."

'비, 빌어먹을!'

항조군은 내심 욕설을 퍼부으며 다시 정극신을 향해 공손하게 허리를 숙이며 대답했다.

"네, 가주."

정극신은 인상을 찌푸리며 말했다.

"지금 객청이 엉망이지 않느냐?"

"아……."

항조군은 어이가 없었다.

'아니, 누가 이렇게 엉망으로 만들었는데?'

물론 그렇게 대꾸할 상황이 아니었다. 항조군은 최대한 공손하게 허리를 숙이며 말했다.

"금강천존을 찾기 전에 사람들을 시켜 객청을 정리하고 새로 의자를 가져오라 하겠습니다."

"술도."

"네. 새로 술과 요리도 준비하라 이르겠습니다."

"그건 그렇고."

언제나처럼 정극신은 느닷없이 화제를 바꿨다.

그러나 그 밑도 끝도 없는 화제 전환에 제대로 따라가고 대응할 수 있어야만 비로소 그와 함께 대화를 나눌 자격이 생기는 것이다.

"호법들은 왜 아직도 안 오는 게지?"

"호법들이라면…… 아!"

고개를 갸웃거리던 항조군은 이내 세 명의 호법들을 떠

올렸다. 유하촌 유하객잔에서 마주쳤던 사내를 잡아 오라는 명령을 받고 자리를 비운 강남제일지낭과 파천쌍창, 그리고 천리추가 바로 그들이었다.

'설, 설벽린이라고 했지 아마?'

당시 비룡맹군 소속 흑기당주 조대평은 유하객잔에서 마주쳤던 젊은이를 두고 그렇게 불렀다.

"속하가 알고 있는 자는 설벽린이라고, 골동품을 사고파는 장사꾼입니다. 타고난 언변과 잘생긴 외모, 그리고 거침없는 돈 씀씀이로 재작년인가, 항주에서 명성을 크게 얻었습니다. 본가의 중진들과도 제법 많은 교류가 있던 걸로 압니다."

이야기를 듣던 정극신은 가만히 세 호법에게 그 설벽린이라는 자를 잡아 오라고 명령을 내렸고, 그렇게 세 호법이 길을 나선 지가 벌써 열흘이 훌쩍 넘었다.

확실히 이상한 일이었다. 아직까지 놈을 잡지 못했다고 생각하기에는 호법들의 능력이 너무나도 출중했다.

그 어떤 흔적도 따라잡을 수 있다는 천리추가 있었고, 강남 땅에서는 따라올 수 없는 지략을 지녔다는 강남제일지낭이 있었으며, 창술로는 그 누구에게도 지지 않는다는 파천쌍창이 함께 있었다.

열흘이라면 이미 놈을 잡아서 가주 앞에 무릎을 꿇게

만들어도 몇 번은 끓게 만들었을 시간이었다.

"사람을 보내 알아보겠습니다."

항조군의 말에 정극신은 눈살을 찌푸리며 물었다.

"누구를? 어디로?"

항조군은 당황했다.

거기까지 생각해 놓고 말한 대답이 아니었던 게다. 우선 이 자리를 벗어난 다음, 차분하고 신중하게 고민해서 처리할 작정이었다.

정극신은 그럴 줄 알았다는 표정을 지으며 말했다.

"흑우를 보내라. 녀석이라면 제 사부가 어디 있는지 쉽게 찾을 테니까."

항조군의 눈이 커졌다.

"그렇군요. 미처 거기까지는 생각하지 못했습니다."

흑우는 무적검군 휘하의 인물로 척후, 잠입, 암살 등에 특화되어 있는 자였다. 또 잠입이나 암살에 관하여는 외려 제 사부인 천리추보다 훨씬 더 뛰어나다는 평을 듣는 인물이기도 했다.

"그럼 흑우를 찾아 그리 지시를 내리겠습니다."

항조군은 다시 한번 고개를 숙인 후 서둘러 객청을 빠져나갔다.

## 3. 유령교의 흉계(凶計)

"시신들을 치우고 피와 살점들을 깨끗하게 닦아 내도록. 그리고 가주의 의자와 탁자를 새로 교체하고, 술과 요리를 준비해서 내가도록 해라. 아, 기녀들도 따로 더 준비하고. 가무(歌舞)에 능통한 기녀들이면 더 좋겠다."

항조군은 부관들에게 서둘러 지시를 내린 다음 정원을 가로질러 무적검군의 수하들이 있는 별채로 달려갔다.

별채 앞마당에는 가주의 별채와는 달리 임시 막사들이 준비되어 있었다.

애당초 모든 무사를 별채에 수용할 수 없었기에 각 단의 별채 마당과 정원에는 임시 막사를 설치하여 무사들을 수용했다.

별채에 들어서자 마침 무적검군의 부관 중 한 명이 항조군을 알아보고 허리를 숙였다. 항조군은 인사를 받는 둥 마는 둥 빠르게 말했다.

"흑우를 데리고 오게."

부관은 고개를 갸웃거렸다.

"흑우라면 본 지 오래되었습니다."

항조군이 눈살을 찌푸렸다.

"오래되다니?"

"그러니까 만인평으로 출전하기 전 날, 제룡사에서 마

지막으로 보았습니다. 당시 검군께서 따로 그를 불러 뭔가 지시를 내리는 것 같았는데, 자세한 건 저도 잘 모르겠습니다."

부관은 기억을 더듬어 가며 말했다. 항조군은 턱수염을 매만지며 생각에 잠겼다.

'제룡사라면 나도 그 자리에 있었다. 그때 무적검군이 따로 흑우를 불렀던가?'

기억에 없었다.

당시 항조군은 제룡사에서 발굴한 모든 시신들을 불태운 후 그곳을 떠났고, 이후에 벌어진 일들에 대해서는 전혀 알지 못했다.

'비룡맹군이라도 있었다면…….'

하지만 비룡맹군은 이미 목숨을 잃었고, 무적검군은 여전히 혼절한 상태였다. 아무래도 흑우에게 호법들을 찾아오라는 가주의 명령을 전달하는 건 상당히 난망(難望)한 과제가 될 것 같았다.

'어쩔 도리가 없지. 그렇다고 혼절해 있는 무적검군을 마구 흔들어 깨울 수도 없으니.'

항조군은 초조한 듯 입술을 깨물며 생각을 거듭했다.

'다시 생각해 보자. 당시 우리는 제룡사에 있었고, 그곳에서 갑자기 무적검군은 추적과 잠입, 암습에 능통한 흑우를 불러 뭔가 밀명(密命)을 내린 것이다. 왜? 무엇 때

문에?'

흑우를 동원한다는 건 누군가를 쫓거나 어딘가에 잠입하거나 혹은 암살을 하기 위함일 것이다. 그리고 제룡사에서 갑자기 그런 흑우에게 밀명을 내린 건…… 무적검군이 제룡사에서 누군가를 떠올렸기 때문일 것이다.

'누구를?'

항조군의 헝클어진 뇌리에 문득 한 명의 늙은 관인이 떠올랐다.

추관 학여춘.

순간 머릿속에서 딱! 하고 화통(火筒)이 켜지는 듯했다.

'그래, 시신들을 제룡사에 묻은 책임자가 그 늙은이라고 내가 그 두 사람에게 이야기했었지?'

아마도 무적검군은 학여춘에게 더 묻고 싶은 게 있었을 것이다. 아니면 학여춘이 그 시신들과 뭔가 관계가 있을 거라고 생각했는지도 모른다.

어쨌든 학여춘을 납치하거나 죽이거나 아니면 그의 처소에 숨어들어 뭔가 훔쳐 나오거나 하는 일에는 흑우가 최선의 선택이었다.

'그래, 그럴 가능성이 가장 높을 게야. 학여춘이 아니고서는 굳이 무적검군이 제룡사에서 흑우에게 뭔가 지시를 내릴 이유가 없을 테니까.'

항조군은 자신의 추측이 정답일 거라고 확신했다.

하지만 다음 순간 그는 저도 모르게 고개를 갸웃거리며 "으음?" 하는 신음을 흘리고 말았다.

'하지만 그렇다면 왜 아직도?'

학여춘은 성도부의 추관이었다. 추관은 성도부 관아를 실질적으로 책임지고 관장하는 직책이었다. 그런 만큼 그를 호위하는 관원들도 적지 않을 것이며, 그가 기거하고 있는 거처 역시 경계가 엄중할 게 분명했다.

하지만 그건 어디까지나 일반 백성들의 입장에서 보면 그렇다는 것이었다. 무림인이 관여한다면 상황은 달라질 수밖에 없었다.

관아에서 아무리 호위를 많이 하고 경계를 엄중하게 한다 하더라도, 단 한 명의 절정의 경지에 오른 무림인조차 막아 내지 못하는 게 현실이었다.

흑우는 추격과 잠입과 암습에 관한 한 절정의 경지에 오른 고수였다. 관원들은 결코 그를 막을 수가 없었다.

'그러니까 지금까지 흑우가 모습을 보이지 않는다는 건 타인의 의지가 아닌, 자신의 의지 때문이라는 이야기가 되는 건데…….'

어쩌면 아직도 학여춘의 주위에 은잠한 상태로 무언가를 기다리거나 혹은 찾고 있을 수도 있었다. 아니, 그게 현 상황에서 항조군이 도출해 낼 수 있는 최선의 추측이었다.

거기까지 생각한 항조군은 부관을 향해 지시를 내렸다.

"지금 당장 흑우를 찾아서 내게 오라고 하게."

부관은 살짝 당황한 표정을 지으며 말했다.

"하지만 그가 어디 있는지 알 수가 없어서……."

"아마도 성도부 관아 주변에 잠복해 있을 것일세. 누구, 발이 날래고 몸이 가벼운 자들을 선별하여 그곳에서 흑우를 찾아보게나. 아, 추관 학여춘이라고…… 그 늙은 이의 주위를 집중적으로 찾아보게."

너무나도 자세한 지시에 부관은 어리둥절한 표정을 지으면서 대답했다.

"알겠습니다. 바로 발이 날래고 몸이 가벼운 자들 십여 명을 수배하여 보내도록 하겠습니다."

"아, 그리고 사람을 보내는 김에 금강천존을 찾아서 말씀드리게. 가주께서 찾고 계신다고, 하던 일을 중지하고 곧바로 가주께 오라고 말일세."

"그리 전하겠습니다."

"그래. 고생하게."

항조군은 부관의 어깨를 두드려 주고는 다시 별채를 나섰다. 앞마당의 임시막사에서 신음이 끊이지 않고 들려왔다. 만인평 전투에서 크고 작은 부상을 입은 자들의 입에서 나오는 소리였다.

항조군은 가던 걸음을 멈추고 잠시 막사들을 둘러보았

다. 약과 새하얀 천을 든 약당 사람들이 수십 개의 막사 사이를 바쁘게 오가고 있었다. 마치 한바탕 전쟁을 치르고 난 군영(軍營)의 모습과도 같았다.

'믿을 수가 없구나.'

선임 부관들의 보고를 듣고서도 믿을 수가 없었지만 이렇게 정작 눈으로 직접 확인하고도 역시 믿을 수가 없었다.

무적가와의 전면전(全面戰)이라니.

철목가는 그 전면전에서 무적가의 제갈보광을 죽이고, 무적가의 신화와 같은 삼숙 제갈천상의 팔 하나를 사용하지 못하게 만들었다.

그 대가로 비룡맹군은 목숨을 잃고, 무적검군은 여태 정신을 차리지 못하고 있었지만.

'향후 정국이 어찌 돌아갈지 아무도 모르겠구나.'

그렇게 내심 중얼거리던 항조군은 저도 모르게 "아!" 하는 탄성을 내질렀다.

"그렇군, 유령교!"

무적과와의 전면전, 비룡맹군과 무적검군의 비보(悲報)에 가려져서 까마득하게 잊고 있었던 존재. 그 유령교의 잔당들이 이곳 성도부에 있었다.

왜 그걸 미처 생각하지 못했을까.

'잠시 정리해 보자. 상황이 점점 기이해지는 것 같으니.'

항조군은 뒷짐을 진 채 앞마당을 이리저리 걷기 시작했다. 이미 그의 귀에는 막사들에서 새어 나오는 신음이 전혀 들리지 않았다.

제갈보광이 이끄는 무적가 무사들은 유령교와 무림오적이라는 자들에 의해 패퇴, 퇴각했다고 했다.

비룡맹군과 무적검군이 이끄는 부대가 그들을 뒤쫓았을 때 만인평 어귀에서 무적가 무사들과 유령교 일당들이 싸우는 걸 목도했다고 했다.

그곳에서 비룡맹군과 무적검군은 의도치 않게 제갈보광을 살해했다. 그 살해 광경을 지켜본 무적가 무사들을 살인멸구(殺人滅口)하기 위해서 뒤를 쫓다가 마침 만인평에 주둔하고 있던 제갈천상의 대부대와 조우하게 되었다는 게 선임 부관들의 증언이었으며, 또 그렇게 전투는 필연적으로 발발했다는 것이다.

뭔가 물 흐르듯이 딱딱 아귀가 맞아떨어졌다. 아니, 기분이 나쁠 정도로 빈틈이 없는 진행이었다.

하지만…….

'하지만 유령교는?'

항조군은 눈빛을 빛내며 생각을 이어 나갔다.

'애당초 무적가 무리들을 뒤쫓던 유령교는? 도주하던 무적가 무사들을 끈질기게 따라잡고 곳곳에서 난전을 벌이던 그 유령교는?'

도대체 왜 사라졌는가?

선임 부관들의 보고를 듣다 보면 신기루처럼, 혹은 모래에 스며든 물처럼 자연스럽게 어느 한순간 유령교의 존재는 사라지고 없었다.

마치 제 할 일을 모두 끝냈다는 것처럼 유령교는 더 이상 무적가의 뒤를 쫓지도 않았으며, 또한 철목가와도 싸움을 벌이지 않았다.

'이상한 일이지. 유령교에게 있어서 우리 철목가는 무적가와 마찬가지로 증오의 대상이자, 복수의 대상일 텐데.'

비룡맹군과 무적검군이 있어서 퇴각한 것일까.

그러기에는 제갈보광이 이끌었던 무적가 오백 명의 최정예 무사들의 무위도 만만치 않았다. 그런 무적가와도 싸웠는데 겨우 삼백에 불과한 철목가를 보고 후퇴했다는 건 말이 되지 않았다.

'이건 마치 무적가와 우리 철목가가 싸우는 걸 기다렸다는 것처럼……'

그렇게 생각하던 항조군의 안색이 급변했다.

'아니, 기다렸던 게 아니라……'

설마…….

항조군은 저도 모르게 마른침을 꿀꺽 삼켰다.

'우리가 무적가와 싸우도록 유도한 것인가?'

스스로 생각하고 추론해 낸 추측임에도 불구하고 절대 믿기지 않는 상황이 항조군의 머릿속에 그려졌다.

'차도살인지계(借刀殺人之計).'

그럴 가능성을 배제할 수가 없었다.

'양패구상(兩敗俱傷)과 어부지리(漁父之利).'

만약 항조군이 떠올린 생각이 사실이라면, 유령교는 그야말로 손도 안 대고 코를 푸는 형국인 셈이었다. 돌 하나로 두 마리의 새를 잡았으니까.

항조군은 두 손으로 얼른 무릎을 짚었다. 다리가 후들후들 떨려서 제대로 서 있기조차 힘들었던 것이다.

'그러니까 이 모든 상황이 유령교의 흉계(凶計)에 의한 결과물이라면…….'

항조군은 임시 막사들을 둘러보았다. 그의 얼굴은 창백하게 변해 있었다. 그는 자신도 모르게 중얼거리기 시작했다.

"아직…… 아직 끝난 게 아니겠지. 우리를 괴멸시키기 위해서 놈들의 또 다른 흉계가 이어질 게 분명할 테니까."

이렇게 우두커니 서 있을 시간이 없었다. 한시라도 빨리 이 사실을 알려야 했다.

누구에게?

막 걸음을 떼려던 항조군이 다시 멈춰 섰다.

조금 전 객청에서 보았던, 가주 정극신의 활화산 같은 분노의 얼굴이 떠올랐던 것이다.

항조군은 그 얼굴 앞에서 감히 자신의 추측을 이야기할 엄두가 나지 않았다. 자신의 이야기가 끝났을 때 생길 그 후폭풍을 감당할 만한 배짱이 항조군에게는 없었다.

'가주는 아니다.'

가주에게는 이 이야기를 할 수가 없었다.

'그렇다면 누구?'

지금 이 상황에서 떠오르는 인물은 오직 한 명뿐이었다.

철목가의 모든 무인들로부터 한없는 존경과 애정을 받고 있는 자. 심지어 가주 정극신조차 함부로 대하지 못하고 존중해 주는 유일한 인물.

'그래, 금강천존부터 찾아야겠다.'

금강천존.

그러면 내 이야기를 들어 줄 것이고, 또 적절한 대응책을 생각해 낼 것이다.

목표가 생긴 항조군은 서둘러 별채를 빠져나갔다.

5장.
# 가늘고 길게 살겠다

복마전(伏魔殿).
온갖 마귀와 악마들이 모여 있는 곳.
나쁜 일이나 음모가 끊임없이 벌어지고 있는 악의 근원지.
그렇다.
확실히 철목가의 입장에서 보자면 이곳 성도부는
세상 모든 악의(惡意)와 살기(殺氣)가 모여 있는 복마전이었다.

## 1. 너, 건방지더라

이월 중순으로 접어들면서 날씨가 제법 많이 풀렸다. 대엿새 전 폭설이 쏟아졌던 걸 떠올리면 믿을 수 없을 정도로 따뜻한 오후의 성도부였다.

거리는 상당히 많은 사람들로 붐볐고 활기가 넘쳐흘렀다.

제갈보광 무리들과 무림오적과 유령교 일당들이 싸우면서 불에 타고 무너졌던 건물들도 얼추 제 모습을 찾아가고 있었다.

성도부 밤거리를 장악했던 흑도 방파가 괴멸하고, 하오문의 불량배나 불한당들이 목숨을 잃은 성도부의 저잣거리는 청정 지역처럼 맑고 깨끗했다.

물론 그 청정함은 결코 오래가지 않을 것이다. 다시 재기를 꿈꾸는 토박이 불량배들은 물론 무주공산(無主空山)이 된 성도부 밤거리를 노리는 인근 타 지역의 흑도인들까지, 날씨가 풀리면서 성도부에는 점점 흑도 무림인들이 늘어나고 있었으니까.

하지만 흑도 무림인들이 보란 듯이 앞으로 나서서 세력을 키우거나 혹은 성도부 밤거리를 장악하려 들지 않는 건, 역시 보름여 전 느닷없이 이곳에 들이닥친 철목가 무사들 때문이었다.

그들은 마치 점령군처럼 성도부 곳곳을 돌아다니며 정조를 구하고 탐문(探問)했다.

마치 그 난리를 피웠던 무적가 무사들처럼, 철목가 무사들 또한 황계의 십삼매를 찾기 위해 흑도 무림인들을 가만 놔두지 않았다.

겁에 질린 흑도 무림인들은 아직 지하에 숨은 채 상황을 엿보는 중이었으며, 또 그런 이유로 금강천존과 그의 수하들은 십삼매를 찾는 일에 대해 좀처럼 진척을 내지 못하고 있었다.


"황가루(黃家樓)에 계시지?"

총관 항조군은 행인들로 붐비는 성도부의 오후 거리를

걸으며 대동한 세 명의 무사에게 물었다.

무사들 중 가장 나이 많은 자가 공손하게 대답했다.

"네. 그곳 별채에 진을 치신 채 십삼매의 행방을 수소문하고 계십니다."

"십삼매, 십삼매. 도대체 어떻게 생긴 계집이기에, 또 어떤 뒷배가 있는 계집이기에 여태 치맛자락은커녕 그림자조차 볼 수 없는 거지?"

"죄, 죄송합니다."

"아니, 왕 부관이 죄송할 게 어디 있겠소?"

항조군은 나이 많은 부관에게 위로하듯 말하며 바쁘게 걷다가 문득 정면에서 마주 걸어오는 이들을 보고는 살짝 눈살을 찌푸렸다.

한 명의 소년과 그를 보필하는 따르는 두 명의 노인이었는데, 노인들의 얼굴이 퉁퉁 붓고 눈가는 시퍼렇게 멍이 든 것이 아무래도 그들의 주인인 듯한 소년에게 상당히 얻어맞은 모양새였던 것이다.

세 명의 노소(老少)는 인파(人波)를 뚫고 항조군 일행과 거의 부딪칠 것처럼 다가오더니, 이내 미꾸라지처럼 그들의 곁을 스치듯 지나쳐 갔다.

항조군은 힐끗 뒤를 돌아보았다. 소년을 따르는 노인들의 구부정한 뒷모습이 더없이 처량하고 측은하게 느껴졌다.

그래서였다.

행인들 사이로 사라지는 그들의 뒷모습을 바라보며 항조군이 저도 모르게 혀를 찬 것은.

"허어. 아무리 하인이라고는 하지만 그래도 제 할아버지뻘 되는 이들에게…… 쯧쯧."

항조군은 그렇게 중얼거리고는 다시 고개를 돌려 앞을 바라보며 걸음을 옮기려고 했다.

바로 그 순간이었다.

"헉!"

항조군은 헛바람을 집어삼키며 기겁했다. 귀신이라도 본 것처럼 심장이 튀어나올 뻔했다.

조금 전 항조군의 뒤쪽으로 사라졌던 소년이 갑자기 자신의 길 앞을 가로막고 우뚝 서 있는 탓이었다.

선이 얇게 잘생긴 소년은 빙긋 웃으며 항조군의 놀란 모습을 지켜보았다.

항조군은 저도 모르게 뒤를 돌아보았다가 다시 정면으로 시선을 돌렸다. 인파 속으로 사라졌던 소년이 언제 다시 돌아와 이렇게 앞을 가로막고 있는 것일까.

'귀신이다.'

항조군은 가슴이 쿵쾅거렸다.

'귀신이 아니라면 귀신에 버금갈 정도의 고수일 게다.'

아무래도 후자일 가능성이 크겠지. 오후라고는 하지만

아직 해가 떨어지기에는 꽤 이른 시각, 귀신이 돌아다니기에는 너무 날이 밝았다.

"무, 무슨 일이냐?"

항조군은 혀를 내밀어 마른 입술을 훔치며 물었다. 나름대로 근엄하게 말한다고 했는데 자신도 모르게 떨려 나오는 목소리는 어쩔 도리가 없었다.

미소년이 웃으며 말했다.

"너, 건방지더라."

항조군의 눈이 휘둥그레졌다. 항조군을 보필하던 부관들도 낯선 미소년이 다짜고짜 내뱉은 반말에 깜짝 놀라며 눈을 부라렸다.

"이놈이 감히……."

부관 하나가 앞으로 한 걸음 나서며 욕설을 퍼부으려는 찰나, 항조군이 손을 들어 그를 제지했다.

"총관 나리."

부관이 억울하다는 듯이 항조군을 돌아보며 말했다.

항조군은 아무런 말도 하지 말라는 듯 고개를 한 번 내젓고는, 여전히 미소년에게서 시선을 떼지 않은 채 물었다.

"내가? 건방져?"

항조군이 눈을 휘둥그레 뜨고 놀란 건 소년의 느닷없는 반말 때문이 아니었다. '건방지다'라니, 소년이 항조군을 언제 봤다고 그런 말을 하는 건가.

"날 아나?"

항조군이 묻자 미소년은 순진하게 웃으며 고개를 저었다.

"아니. 모르지. 넌 날 알아?"

"아니, 그런데 내가 건방진지 아닌지 어떻게 알지?"

"그야 네 말을 들었으니까."

"무슨 말?"

"조금 전에 했잖아? 내 할아버지뻘 되는 하인들이 어쩌고저쩌고하고 말이야."

"응? 아……."

일순 항조군의 얼굴이 살짝 붉어졌다.

하지만 이내 절로 고개가 갸웃거려졌다. 분명 그런 식으로 말하기는 했지만 어디까지나 혼잣말로, 심지어 곁에 서 있던 왕 부관조차 알아듣지 못할 정도로 조그맣게 중얼거렸을 뿐이었다.

설마 그 속삭이듯 중얼거린 말을 들었다는 건가. 이 많은 인파 사이에서?

"그게 건방지다는 거야."

미소년은 여전히 싱글거리며 말했다.

"아까도 말했지만 나는 널 모르고 너도 날 몰라. 그러니 당연히 내 할아버지가 누구인지도 넌 모르잖아? 내 할아버지가 몇 살인지 죽었는지 살았는지 전혀 모르잖아? 그런데 내 늙은 하인들을 두고 내 할아버지뻘이라고 하는 건 확실히 건방진 말이지. 안 그래?"

미소년의 말에 항조군은 말문이 턱 막혔다.

미소년은 계속해서 반말에다가 쓸데없이 말꼬리를 붙잡고 늘어지고 있었다.

평소라면 '머리에 피도 안 마른 것이 어디서 감히!' 하며 미소년에게 알밤을 먹였을 항조군이었다.

하지만 지금 항조군은 쉽게 움직이거나 말하지 않았다. 자신을 가로막고 있는 이 미소년이 결코 평범한 인물이 아님을 직감했기 때문이었다.

'조금 전의 그 경공술 한 수만으로도 결코 만만한 고수가 아니다.'

항조군은 조심스러운 눈빛으로 소년을 바라보았다.

언뜻 보면 괜한 시비를 거는 것 같기도 했지만 괜한 농담을 하는 것 같기도 했고, 또는 장난을 치는 것처럼 보이기도 했다. 최소한 진짜 화가 난 것 같지는 않았다.

항조군은 미소를 지으며 말했다.

"그리 생각한다면 미안하다. 사과하마."

부관들이 깜짝 놀란 얼굴로 그를 돌아보았다.

사과하려면 미소년이 해야 했다. 느닷없이 길을 막더니 다짜고짜 건방지니 뭐니 하며 반말한 소년이 사과하는 것이 당연했다. 무엇보다 소년이 반말한 상대인 항조군은 철목가의 총관이 아니던가.

하지만 항조군은 싹싹하게 말했다.

"확실히 내가 건방지고 오지랖이 넓었던 것 같군. 생면부지(生面不知)의 상대에게 할 말이 아니었던 것 같네. 미안하네."

미소년은 가만히 항조군을 바라보다가 피식 웃고는 고개를 끄덕이며 입을 열었다.

"좋아."

미소년은 항조군의 어깨를 툭툭 치면서 말을 이었다.

"생각보다 눈치가 빠르고 감이 좋네. 비명횡사 당하지 않고 오래 살 상(相)이야."

"아니, 보자보자 하니까 무엄하기가……."

부관들이 벌컥 화를 내려고 했다.

하지만 항조군은 다시 한번 손을 펼쳐 그들을 제지하고는 소년을 향해 웃는 낯으로 말했다.

"내 신조가 그걸세. 가늘게 길게 살자, 라는 게지."

"음? 푸하하하!"

미소년은 크게 웃음을 터뜨렸다.

"야! 정말이지 오래 살 일이라니까. 불과 며칠 사이에 그런 신조를 가진 사람을 연거푸 만나다니 말이지."

"그래? 그것참 기이한 경험을 했군그래. 확실히 나 같은 신조를 가진 사람은 그리 많지 않은데 말이지."

항조군은 지나가는 말로 말했다.

"도대체 그 가늘고 길게 살자는 신조를 가진 사람이 누구인지 궁금하군그래."

"아, 젊은 형이었지. 이름이…… 그래. 설벽린이라고 했는데. 정말 웃긴 형이었어. 덕분에 하룻밤 재미있게 놀았어."

미소년은 그와 더불어 즐겁게 놀았던 기억을 떠올리며 빙긋 웃었다.

하지만 항조군은 웃지 못했다. 외려 너무 놀란 나머지 숨이 막히는 바람에 "컥!" 하고 밭은 숨을 내뱉어야만 했다.

설벽린이라니!

이 낯선 소년의 입에서 그토록 찾아 헤매던 이름이 아닌 밤중에 홍두깨처럼 튀어나온 것이다.

항조군은 바짝 마른 입술을 혀로 훑으며 조심스레 입을 열었다.

"그 설벽린인가 뭔가 하는 자와 헤어진 모양이로구나. 지금 같이 없는 걸 보니."

미소년은 어깨를 으쓱거리며 말했다.

"흠. 그러니까 말이야. 무슨 급한 일이 있었는지 내게 작별 인사도 하지 않고 사라졌더라고. 그래서 애꿎은 청노와 백노만 내게 혼났지 뭐야? 뭐, 그건 그렇고…… 그럼

가늘고 길게 살겠다 〈143〉

아저씨도 설 형처럼 날 즐겁게 해 줄 수 있을 것 같은데."

미소년은 싱긋 웃으며 말을 맺었다. 하지만 소년의 눈빛은 전혀 웃지 않고 있었다.

소년의 눈동자는 살모사의 그것처럼 날카롭고 독랄한 시선으로 항조군의 표정을 살피고 있었다. 마치 어떻게 잡아먹어야 가장 맛있게 먹을 수 있는지, 그 방법을 궁리하는 듯한 눈빛이었다.

그 눈빛을 본 순간, 항조군은 온몸에 소름이 돋고 모공의 털들이 쭈뼛 섰다.

차가운 한기가 등골을 후벼 팠다. 용암처럼 모든 걸 불태우는 가주 정극신의 앞에서 벌벌 떨 때와 비슷한 공포심과 두려움이 그의 가슴을 옥죄었다.


## 2. 복마전(伏魔殿)

'도대체 이 녀석의 정체가 뭐란 말인가?'

궁금증이 일었지만 항조군은 애써 그 호기심을 잠재웠다. 이 소년과 오래 있는 건 결코 좋은 일이 아니라는 경각심이 본능적으로 일었던 까닭이었다.

사실 그의 이성(理性)은 소년에게 설벽린에 대해서 물어보라고 그를 종용했다. 그러나 그의 본능은 이성을 억

누르고 제어했다.

그 타고난 본능과 육감이야말로 항조군이 철목가의 총관 자리에 앉게 만든, 그리고 지금껏 목숨을 부지할 수 있게 해 준 근원이라 할 수 있었다.

항조군은 애매하게 웃으며 말했다.

"미안하지만 맡은 바 일이 급해서…… 아무래도 더 이상 함께 대화를 나누지 못할 것 같네. 아쉽지만 이제 헤어져야 할 때가 된 듯하네."

항조군의 말에 미소년은 마땅치 않다는 듯이 살짝 눈살을 찌푸렸다.

동시에 항조군은 보이지 않는 비수가 가슴을 찌르기라도 한 듯 격렬한 통증을 느꼈다.

"우리도 이제 가 봐야죠, 도련님."

갑자기 들려온 늙수그레한 음성에 항조군이 눈이 휘둥그레졌다.

소년에게만 집중되어 있던 시야가 활짝 열리는가 싶더니, 항조군은 어느새 소년의 뒤에 서 있는 예의 그 두 명의 노인을 그제야 볼 수 있었다.

청의를 입은 노인과 백의를 입은 노인을 보건대 바로 이들이 미소년이 말했던 청노와 백노인 듯했다.

'아무리 내가 이 소년에게 집중하고 있었다고는 하지만 이렇게 저 노인들이 내 앞으로 돌아올 때까지도 전혀 기

척을 알아차리지 못했다니…….'

항조군의 가슴이 다시 쿵쾅거리기 시작했다.

이 얼굴 퉁퉁 붓고 눈가 시퍼런, 말 그대로 형편없는 몰골을 한 노인들도, 알고 보니 감히 경시하지 못할 정도의 실력을 지닌 초절정 고수였던 것이다.

'도대체 어느 방면의 고인(高人)들일까? 그리고 이 정도 실력을 지닌 고인들이 모시는 이 소년의 정체는 무엇일까?'

갈수록 호기심과 궁금증이 뭉게구름처럼 피어올랐다. 그때 소년이 혀를 차며 노인들을 나무랐다.

"쯧쯧. 정말이지 학습 능력이 그리 없는 거야? 내가 사람들이랑 말할 때 함부로 끼어들지 말라고 몇 번이나 주의를 줬잖아? 그런데도 또 끼어들어, 버르장머리 없이?"

순간 항조군과 부관들의 눈이 휘둥그레졌다.

아무리 주종 관계라고 하더라도, 어린아이의 입에서 나오는 말이라고는 도저히 믿어지지 않을 정도로 오만하고 건방진 말이었다.

그러나 노인들은 전혀 내색하지 않고 허리를 굽히며 잘못을 빌었다.

"죄송합니다. 죽을죄를 졌습니다."

'죽을죄? 그저 걸음을 재촉해야 한다고 말한 게 죽을죄라는 건가?'

항조군은 놀라고 당황하여 정신을 차릴 수가 없었다. 그런데 소년은 한술 더 떠서 말하고 있었다.

"그래. 평소라면 죽기 직전까지 때려서 그 못된 버릇을 고쳐 놓았겠지만, 지금은 외인(外人)과 함께한 자리이니 그냥 넘어갈게. 그리고 급한 건 나도 잘 안다. 하지만 그렇다고 제대로 인사조차 하지 않고 걸음을 재촉하는 건 상대방에게 실례가 되잖아? 그대들이 늘 이야기하는 예의, 법도에 어긋난 행동이잖아?"

"죄, 죄송합니다."

"그렇게 깊은 뜻이 있는지 미처 몰랐습니다."

두 노인은 진지한 얼굴로 그렇게 사과했다.

'상종 못할 사람들이다.'

항조군은 그 모습을 지켜보고 결론을 내렸다.

비록 묻고 싶은 게 산더미처럼 쌓여 있었지만 조금만 더 함께 있다가는 무슨 봉변을 당할지 몰랐다.

어디로 튈 줄 모르는 괴인들 앞에서는 철목가니 총관이니 하는 것들이 아무런 방비책이 되어 줄 수 없었다.

'그러니 얼른 헤어지는 게 상책이다. 궁금한 건 나중에 사람을 따로 풀어서 해결하도록 하자.'

항조군은 마음을 다잡으며 말했다.

"그럼 이만. 인연이 되어 다시 만날 수 있기를 바라네. 그때까지 보중(保重)하기를."

소년이 피식 웃었다.

"도망치는구나."

항조군은 가슴 한구석이 뜨끔거렸지만 겉으로는 태연하게 웃으며 말했다.

"지금은 급한 용무가 있어서 어쩔 수 없지만, 성도부 어디에 묵는지 이야기해 준다면 나중에 찾아가 오늘의 무례를 사과하도록 하겠네."

"호오. 말을 잘하네."

소년은 마음에 들었다는 듯이 피식 웃었다.

"그 설 형도 말은 참 잘했거든. 가늘고 길게 살겠다는 신조를 가진 사람들의 특징이야, 그게?"

듣기에 따라서는 상당히 거북한 말이었지만 항조군은 너털웃음을 흘리며 말했다.

"허허, 어쭙잖은 실력으로 살아남으려다 보니 다른 것보다 말재간이 먼저 늘더군그래."

소년은 문득 진중한 표정을 짓더니 항조군의 말을 곱씹는 듯했다. 그리고는 고개를 끄덕이며 입을 열었다.

"그래. 별 볼 일 없는 실력으로 끝까지 버티고 살아남으려면 그런 재간도 있어야 하겠지. 좋아. 나를 찾으려면 황계에 연락을 취해 봐. 그럼 만날 수 있을 거야."

'황계!'

항조군은 내심 크게 동요했지만 겉으로는 전혀 티를 내

지 않았다.

'황계라면 십삼매의 그 황계를 말하는 거겠지? 묘한 일
이군. 설벽린과 인연을 가진 자가 또 황계를 언급하다
니.'

갈수록 이 소년의 정체가 궁금해졌다. 그러나 항조군은
더 이상 묻지 않고 두 손을 모으며 작별 인사를 건넸다.

"그럼 보중하기를."

"정말 이대로 떠날 거야?"

문득 소년이 능글맞은 미소를 지으며 물었다.

"따로 할 말이나 하고 싶은 게 아무것도 없어?"

소년은 마치 항조군의 속내를 들여다본 것처럼 재차 물
었다.

그러나 항조군은 아무런 말을 하지 않은 채 서둘러 그
자리를 벗어났다.

소년이 낭랑하게 웃으며 말했다.

"체면이나 자존심보다는 실리와 현황(現況)을 중시하
는 걸 보니 확실히 가늘고 길게 잘 살 것 같아. 잘 가."

그 거침없는 언사(言辭)에 항조군의 부관들이 한 차례
소년을 노려보고는 서둘러 그를 따라잡았다.

잠시 후, 항조군의 뒤를 묵묵히 따라 걷던 젊은 부관
한 명이 도저히 견딜 수 없는 듯 울화통이 터진다는 얼굴
로 말했다.

"도대체 왜 저렇게 발칙하고 버릇없는 꼬마 녀석을 가만히 놔두시는지 모르겠습니다."

"응?"

항조군은 걸음을 멈추고 뒤를 돌아보았다.

이미 소년과 두 노인의 모습은 인파 저편으로 사라지고 보이지 않았다. 항조군은 그제야 안도의 한숨을 길게 내쉬면서 양손으로 무릎을 짚었다. 후들거리는 다리를 지탱하기 위한 손길이었다.

"무시무시한 녀석이었다."

항조군의 중얼거림을 들었는지 항변했던 젊은 부관이 눈을 크게 뜨며 물었다.

"무시무시하다니요?"

항조군은 살짝 이해가 가지 않는다는 표정으로 다시 젊은 부관을 돌아보며 되물었다.

"너는 그 소년에게서 아무것도 느끼지 못했느냐?"

젊은 부관은 질문의 요지를 이해하지 못한 듯 고개를 갸웃거리며 대답했다.

"그저 오만방자한 녀석이라는 것밖에는 잘 모르겠습니다."

"허어."

항조군은 탄식하며 다른 부관들을 돌아보고는 다시 한 번 물었다.

"소년에게서 뭔가 느낀 자가 없느냐?"

또 다른 젊은 부관이 머뭇거리고 있을 때 왕 부관이라는 늙은 무사가 조심스레 입을 열었다.

"저기…… 허황된 표현이라고 하실지는 모르겠습니다만, 터무니없을 정도로 잔악한 악기(惡氣)를 지닌 자 같았습니다."

"호오."

항조군은 새롭다는 눈으로 왕 부관을 돌아보았다. 왕 부관은 머뭇거리면서 계속해서 말을 이어나갔다.

"그래서 총관께서 서둘러 그 자리를 떠나시려고 했던 게 당연하다고 생각했습니다."

"그래!"

항조군은 두 눈을 반짝이며 말했다.

"바로 그걸세. 터무니없을 정도로 잔악한 악기! 마치 세상 모든 악(惡)과 분노와 증오와 공포를 갈무리한 채 우뚝 서 있는 괴물 같은 놈! 무공이나 무위나 실력을 떠나서, 그저 독사 앞의 개구리처럼 공포와 두려움에 질려 사람을 꼼짝도 하지 못하게 만드는…… 그런 놈이었던 게야."

두 젊은 부관은 항조군이 무슨 말을 하는지 도통 알 수 없다는 얼굴로 서로를 돌아보았다. 왕 부관도 머리를 긁적이며 애매하게 말했다.

"거기까지는 소인도 잘……. 하지만 확실히 보통 사람은 아닌 것 같아 보였습니다."

"그거면 됐다."

항조군은 크게 고개를 끄덕이며 말했다.

"나 혼자만의 망상(妄想)이 아니었다는 게 중요하니까."

그는 다시 빠르게 걸음을 움직이며 나지막한 소리로 중얼거렸다.

"도대체 이곳 성도부에서 무슨 일이 벌어지고 있는 건지……."

그렇게 중얼거리던 항조군의 뇌리에 순간적으로 떠오르는 단어가 있었다.

복마전(伏魔殿).

온갖 마귀와 악마들이 모여 있는 곳, 나쁜 일이나 음모가 끊임없이 벌어지고 있는 악의 근원지.

그렇다.

확실히 철목가의 입장에서 보자면 이곳 성도부는 세상 모든 악의(惡意)와 살기(殺氣)가 모여 있는 복마전이었다.


3. 잘 오셨습니다, 소야


"쳇."

위천옥은 볼멘 얼굴로 혀를 찼다. 오가는 행인들, 특히 여인들의 시선이 그에게서 떠날 줄 몰랐지만 위천옥은 전혀 신경 쓰지 않았다.

"세상 참 더럽다니까."

위천옥의 의미 모를 말에 호기심이 당길 법도 했지만, 청노와 백노는 아예 못 들은 척 고개를 외면했다.

자칫 말이라도 섞다 보면 반드시 그의 성질을 건드리게 될 테고, 그렇게 된다면 이번에는 진짜 죽을 수도 있었으니까.

"조금 재미있어 보이는 걸 발견하면 금세 손에서 빠져나가. 그렇다고 놓치지 않기 위해 억지로 꽉 잡으면 순식간에 목숨을 잃거든. 그러니 다치지 않게 애지중지해야 하고, 또 오히려 그것들의 심기를 불편하지 않게끔 내가 더 노력해야 해. 이게 말이 되는 이야기야? 세상에, 장난감 눈치를 봐야 한다니 말이야."

청노는 재빨리 머리를 굴렸다.

아마도 조금 전 마주쳤던 그 중년 무사에 관한 이야기임이 분명했다.

하기야 말재간만 있는 게 아니라 순간적인 기지(奇智)와 재치도 있었다. 무엇보다 위천옥이 평범하지 않다는 사실을 직감할 수 있는 본능과 육감을 지니고 있었다.

확실히 위천옥 입장에서 보자면 오래간만에 만난 재미

있는 장난감일 수 있었다.

그렇게 마음에 든 장난감을 속절없이 떠나보냈으니 불편하고 화가 나고 짜증이 솟구치는 게 당연한 일이다.

'그래도 이제 어른이 되셨네.'

청노와 백노는 흐뭇한 눈길로 위천옥을 바라보았다.

예전 같더라면 장난감이 박살 나든 망가지든 상관없이 마음껏 가지고 놀다가 버렸을 것이다.

오가는 행인들은 신경 쓰지 않고, 관아의 국법이나 무림의 법도나 관습이나 불문율 같은 건 아랑곳하지 않고 제 하고픈 대로 난동을 부리고 소란을 피웠을 것이다.

하지만 지금의 위천옥은 달라졌다.

수발을 들던 자들, 교육을 담당하던 자들, 교두 노릇을 하던 자들 등등 수십, 수백 명의 사마외도 고수들을 죽이거나 불구로 만드는 동안, 그 역시 나름대로 정신적으로 성장한 것이다.

제대로 쓸 만한 장난감이 아니면 쉽게 박살 난다는 것을 배웠고, 재미있는 장난감이 아니면 가지고 놀아도 즐겁지 않다는 것을 깨달았다.

또한 한 번 망가지거나 부서진 장난감은 다시 가지고 놀 수 없다는 사실도, 그래서 마음에 드는 장난감은 애지중지해야 한다는 것도 경험을 통해서 알게 되었다.

그래서 설벽린이 말없이 사라진 걸 알게 되었을 때, 그

를 붙잡아서 치도곤을 내는 대신 범정산에서 뒤늦게 하
산한 청노와 백노, 혈노를 몇 대 때리는 것으로 그 분노
를 가라앉힐 정도의 침착함과 이성을 지닐 수 있게 된 것
이다.

이번에도 마찬가지였다.

중년 사내를 호위하는 무사들이 함부로 말을 하려고 하
거나 그를 향해 심하게 눈을 부라릴 때도 위천옥은 전혀
신경 쓰지 않았다.

이제 위천옥은 어린 시절과는 달리, 더 이상 장난감 축
에도 못 드는 사람들을 박살 내거나 망가뜨리지 않았다.
그럴 필요가 없다는 걸 이미 수많은 경험을 통해서 배우
고 깨달았기 때문이었다.

"그 아이를 따라간 혈노가 잘 알아듣게 타이를 겁니다.
아마도 오늘 당장 도련님을 찾아뵙겠다고 할지도 모릅니
다."

청노는 위천옥의 기분을 맞추듯 조심스레 말했다.

사실 위천옥이나 청노, 백노가 따로 중년 무사, 항조군
에게 이름이나 사문(師門) 등에 대해 질문하지 않은 이유
가 거기에 있었다.

혈노는 항조군을 미행하여 그의 신분과 직책, 사문 등
에 대해서 철저하게 알아 올 것이며, 또한 주위에 사람이
없는 틈을 타서 평소에 늘 그래 왔듯이 항조군을 납치하

거나 협박할 게 뻔했으니까.

'도련님 마음에 드는 장난감은 언제나 그렇게 혈노가 챙겨 왔지. 그래서 얻어맞을 때도 혈노가 가장 적게 맞고……'

청노는 저도 모르게 볼멘 표정을 짓다가 얼른 고개를 홰홰 저으며 다시 입을 열었다.

"그러니 지금은 유령교의 허 봉공과 황계의 십삼매를 만나는 데 집중하실 때입니다."

묵묵히 행인들 사이를 걷던 위천옥이 살짝 눈살을 찌푸리며 말했다.

"소홍은?"

"아…… 십삼매와 함께 계실 겁니다."

"흠, 많이 컸으려나?"

위천옥의 말에 청노는 문득 가슴이 뭉클해졌다.

'아아, 그래도 세상에 오직 하나뿐인 피붙이라고 나름대로 챙기시는구나.'

그렇게 청노가 감상에 젖을 때였다.

"어이쿠! 죄송합니다! 죄송합니다!"

묵직한 음성이 그의 상념을 깼다. 청노는 소리가 들려온 방향으로 시선을 돌렸다.

남쪽 거리에서 사두마차 한 대가 인파 사이를 뚫고 천천히 움직이고 있었다. 연신 죄송하다고 소리치는 사람은 그 마차의 마부석에 앉아 있는 중년인이었다.

"쯧쯧."

청노는 혀를 차며 중얼거렸다.

"대로(大路)를 두고 이 좁은 길로 마차를 모니 소란이 날 수밖에."

성도부는 거대한 성시(城市)였다.

또한 사두마차 두 대가 넉넉하게 왕복할 정도의 대로가 동서로 넷, 남북으로 다섯, 이렇게 나 있을 정도로 거리 구획도 잘되어 있는 성시였다.

하지만 지금 이 거리는 사두마차 한 대만으로 꽉 찰 정도의 소로(小路)였으니, 굳이 이 좁은 거리로 마차를 몰고 들어선 것부터 마부의 잘못된 선택이었다.

"뭐 이쪽 길로 들어서야 할 이유라도 있었나 보지. 모든 걸 그렇게 삐딱하게 보지 말라고."

위천옥이 청노를 나무랐다.

'에에?'

청노가 어이없다는 표정을 지을 때, 마침 마차가 그들의 곁을 지나쳐 갔다. 위천옥이 고개를 돌려 마부석을 보고는 살짝 묘한 표정을 지었다.

위천옥은 다시 마차를 쓰윽 훑어보고는 이내 빙긋 웃으며 중얼거렸다.

"참 재미있는 동네네."

청노가 무심결에 물었다.

"그건 무슨 의미인지요?"

"가지고 놀 만한 것들이 많다는 거야."

위천옥은 다시 발길을 옮기며 말했다.

"저 마차 말이지. 백노가 한번 알아봐. 주인이 누구인지 말이야."

여태 말없이 가만히 따라오기만 하던 백노가 처음으로 입을 열었다.

"명을 받듭니다, 소야."

위천옥이 미소를 지으며 말했다.

"우리 사이에 너무 딱딱하다. 마치 남 대하듯 말하는 것 같아서 별로 기분이 좋지 않은걸."

청노의 안색이 급변하며 팔꿈치로 얼른 백노를 찔렀다. 백노는 재차 허리를 숙이며 말했다.

"그리 들리셨다면 정말 죄송합니다, 도련님. 다음부터 주의하겠습니다."

"그래야지."

위천옥이 웃으며 말했다.

"우리 사이에 소야는 무슨 얼어 죽을. 앞으로도 꼬박꼬박 도련님이라고 불러 줘."

"명심하겠습니다, 도련님."

"그럼 얼른 가 봐야지? 마차는 이미 사라졌는데 아직도 여기 있으면 어떡해?"

백노는 애써 한숨을 참으며 말했다.

"그럼 명을 받들겠습니다, 도련님."

백노는 그 말을 남기고 몸을 돌려 마차의 뒤를 좇아 인파 속으로 자취를 감췄다.

위천옥이 혀를 차며 중얼거렸다.

"정말이지, 백노는 너무 눈치가 없다니까. 매번 따로 지시를 내려야만 움직이니 말이야."

청노가 머뭇거리다가 입을 열었다.

"범정산에서의 실패에 대해서 크게 자책하고 있는 모양입니다."

"응? 범정산?"

위천옥은 무슨 일인지 모르겠다는 표정을 짓다가 이내 "아!" 하면서 말을 이었다.

"독응의선 찾는 거? 아니, 그걸 아직도 마음에 두고 있단 말이야? 이미 실패한 일, 계속해서 그렇게 꽁하게 있는 건 사내대장부가 아니지. 나 봐, 깨끗하게 잊었잖아?"

위천옥이 어깨를 으쓱거리자, 청노는 속으로 투덜거렸다.

'우리를 잡아 죽일 듯이 때리면서 화를 다 풀었으니 잊을 법도 하지. 아직도 멍이 가라앉지 않을 지경이니, 오죽하면 저 충성심 강한 백노가 저리 심사가 뒤틀려 있을꼬?'

청노는 고개를 숙인 채 위천옥을 따라 걸으며 계속해서 속으로 중얼거렸다.

'이번에 허 봉공을 만나게 되면 잠시 휴가를 청해야겠다. 아니면 도련님을 모시는 일에서 제외해 달라고 하든가. 한동안 도련님과 떨어져 있지 않으면 불경심(不敬心)이 극에 달해 자칫 큰일을 저지를지도 모르니까.'

어느 순간 그들은 좁은 골목을 따라 걷고 있었다.

호화찬란한 거리와는 달리 성도부 서민들이 모여 사는 골목길에는 꼬마 아이들이 몰려나와 즐겁게 놀고 있었다.

비록 허름한 옷에 꾀죄죄한 몰골이었지만 아이들의 얼굴은 빛이 날 정도로 밝았으며, 그들의 까르르 웃음소리는 청량할 정도로 해맑았다.

위천옥과 청노를 본 아이들은 경계심 하나 없이 노래를 부르며 졸졸 그 뒤를 따랐다.

청노가 귀찮다는 표정으로 동전 몇 푼을 꺼내 아무렇게나 집어던지자, 아이들은 먹이를 발견한 물고기 떼처럼 동전을 주우려고 우르르 몰려갔다.

그렇게 아이들을 떼어 낸 위천옥과 청노는 계속해서 골목 안쪽으로 걸어갔다. 구불구불한 길을 따라 한참이나 걷던 그들은 이윽고 허름한 대문 앞에서 걸음을 멈췄다.

청노가 대문의 쇠로 만든 포수(鋪首:대문 고리)를 잡고 흔들었다.

끼기긱!

녹이 슨 포수가 듣기 싫은 소리를 내며 대문을 두들겼다.

청노는 세 번 연달아, 그리고 한 번 쉬었다가 두 번 연달아 포수를 잡고 문을 두들겼다.

곧 대문 안에서 인기척이 들려왔다.

"뉘시우?"

늙수그레한 음성이 그 뒤를 따랐다. 청노가 대답했다.

"하늘의 보물이 난쟁이를 만나러 왔네."

하늘의 보물이라는 건 곧 천옥(天鈺)을 뜻했다. 난쟁이는 주유(侏儒), 그러니 위천옥이 귀마주유(鬼魔侏儒)를 만나러 왔다는 뜻이었다.

청노의 말이 끝나는 순간, 대문 저편에 있던 인기척이 거짓말처럼 사라졌다. 대신 걷잡을 수 없는 살기가 대문 밖으로 서리서리 뿜어져 나왔다.

하지만 청노는 전혀 개의치 않고 말을 이었다.

"소야께서 오셨다니까."

살기가 씻은 듯이 사라졌다.

끼이익.

거친 소리를 토해 내며 문이 열렸다. 한 명의 늙은이가 공손하게 허리를 굽히며 말했다.

"유령교의 안가(安家)에 잘 오셨습니다, 소야."

6장.
# 복마전(伏魔殿)

평소 위천옥은 계집들에게 그리 큰 관심을 갖지 않았다.
계집들이란 그저 술병이나 술잔처럼 술을 마시는 데 있어서 필요한 도구이자,
정액을 배출하는 그릇에 불과하다는 게 그의 지론이었다.

## 1. 꼬리

"어이쿠! 죄송합니다! 죄송합니다!"

마부석에 앉은 양위는 말고삐를 쉬지 않고 움직이면서 연신 사과했다. 길가의 행인들이 넘쳐나 말과 마차가 달리는 길까지 점령한 까닭이었다.

애당초 지름길이라고 해서, 조금이라도 빨리 화평장에 당도하고 싶어서 이 길을 선택한 게 잘못이었다. 조금 더 돌아가는 한이 있더라도 역시 대로로 말을 몰았어야 했다. 그래 봤자 일이각 차이에 불과하니까.

"마차 주변을 통제하는 사람이 있었으면 한결 수월하게 지나갈 텐데."

양위는 행여 마차나 말발굽에 행인들이 치이지 않을까 노심초사하면서 중얼거렸다.

물론 사천당문을 나설 때만 하더라도 당문 사람들이 마차를 호위하기 위해 넉넉하게 따라붙었다.

하지만 그들은 양위 일행이 무사히 성도부 인근까지 당도한 걸 확인한 후 말을 돌려 다시 당문으로 돌아갔다.

또 화평장을 나설 때처럼 야래향과 빙혼마고가 마차를 타고 있었더라면 당혜혜나 정소흔이 말을 타고 마차를 호위했을 것이다.

하지만 지금은 그때와 사정이 달라졌다. 야래향과 빙혼마고, 그리고 한 좌석을 통째로 차지하고 있던 석정까지 모두 사천당문에 남아 있었다. 당혜혜나 정소흔이 굳이 말을 탈 필요가 없을 정도로 마차 안이 넓어진 것이다.

결국 마부석의 양위만이 홀로 식은땀을 뻘뻘 흘리면서 조심조심 말을 몰아, 이 그리 넓지 않은 길을 이동해야만 했다.

양회소로(楊會小路)라는 명칭이 붙은 이 길을 따라서 북쪽으로 가다 보면 양씨창회(楊氏昌會)라는 상회가 나온다.

양회소로라는 이름의 주인공 격인 양씨창회는 이 거리 명칭을 얻기 위해서 무려 은자 오십만 냥이라는 거액을 투자했다고 알려져 있었다.

성도부에는 이런 식으로 투자나 기부를 받거나 혹은 유명한 인물이나 영웅호걸의 이름을 따서 거리의 명칭을 정한 곳이 제법 적지 않았다.

　마차가 양씨창회 어림에 당도했다.

　양씨창회는 대로(大路)와 양회소로가 엇갈리는 사거리에 위치해 있었다. 그 사거리 큰길이 바로 화평장으로 향하는 북성로였으며, 사두마차 서너 대가 왕복해도 넉넉할 정도로 큰 대로였다.

　양위의 사두마차는 북성로로 진입했고, 한결 말을 몰기 편해졌다. 그제야 비로소 안도의 한숨을 내쉬며 말고삐를 쥔 손에서 힘을 풀던 양위는 문득 눈썹을 꿈틀거렸다.

　'뭐야?'

　꼬리가 붙었다.

　양위가 전혀 눈치채지 못하는 사이에 누군가 사두마차를 은밀하게 미행하고 있었다.

　'언제? 어디서부터?'

　양위의 짙은 눈썹이 재차 꿈틀거렸다.

　심기가 상했다. 자존심에 금이 갔다. 명색이 북해빙궁의 순찰당주였던 그였다. 빙궁을 떠나 이곳 성도부 화평장에 온 이후로도 결코 무공 수련을 등한시한 적이 없는 그였다.

　주변의 절정 고수들, 담우천을 비롯한 그 다섯 형제를

보면서 절차탁마(切磋琢磨)하기를 벌써 수년째. 외려 빙궁 시절보다 무위가 두 배는 더 향상되었다고 스스로 자부할 정도였다.

그런데 이렇게 바로 마차 뒤까지 꼬리가 붙은 것도 모르고 무작정 말을 몰았으니, 양위의 심기가 상하고 자존심에 금이 가는 건 당연한 일이었다.

물론 조금 전까지만 하더라도 길거리 행인들에게 신경 쓰느라 전혀 집중하지 못했고, 또 그래서 주변 경계에 소홀한 점이 있었던 것은 사실이었다.

하지만 어쨌든 지금 양위는 예예를 비롯한 화평장 안주인들의 안전을 책임지고 있는 상황이었다. 실수나 방심, 변명 따위는 있을 수가 없었다.

양위가 입술을 깨무는 동안에도 마차는 쉬지 않고 북성로를 달렸다.

정체를 알 수 없는 '꼬리'는 마차로부터 약 사오 장 간격을 둔 채 계속해서 따라붙었다. 주변 길거리 행인들의 표정이나 시선이 달라지지 않는 것으로 보아 '꼬리'가 대놓고 경공술을 펼치는 것 같지는 않았다.

'아마도 은밀하게 이동하겠지. 행인과 행인 사이, 혹은 지붕에서 지붕으로, 기척이 계속해서 좌우로 바뀌는 걸 보면 결코 우리에게 들키지 않겠다는 생각인 것 같은데…….'

양위는 모든 신경을 집중하여 그 기척을 찾았다.

하지만 꼬리의 기척은 마치 바람처럼 혹은 아지랑이처럼 스치듯 느껴졌다가 신기루처럼 사라지기를 반복하고 있었다. 그 추적술만 보더라도 이 '꼬리'의 능력이 결코 평범하지 않다는 걸 능히 추측할 수 있었다.

'그렇다면……'

어느새 사두마차는 화평장이 있는 장원가(莊園街) 근처에 이르렀다.

양위는 말고삐를 한쪽으로 잡아당겼다. 네 마리의 말들이 크게 투루루, 소리를 내며 투레질을 하고는 우측의 골목으로 들어섰다.

입구 어귀에 아름드리 버드나무 몇 그루가 서 있어서 버드나무길이라고 불리는 소로(小路)였으며, 여러 채의 장원들이 모여 있는 북쪽 동네라 하여 북원방(北園坊)이라고 불리기도 했다.

또 골목이라지만 마차 한 대 정도는 넉넉하게 지나갈 정도여서, 양위는 느긋하게 휘파람을 불며 천천히 그 길을 따라 말들을 몰았다.

골목길 양쪽으로 아담한 장원들이 적당한 간격을 두고 나란히 이어져 있는 가운데, 마차는 그 어디에서도 멈추지 않고 골목길을 그대로 통과했다.

그리고는 북성로를 따라 크게 한 바퀴를 돌아 약 일각가량 지난 다음 다시 그 골목길로 접어들었다.

이번에는 그대로 골목길을 빠져나가지 않았다.

마차는 평범하고 아담해 보이는 장원 앞에 멈췄고, 잠시 후 문이 열리고 마차는 대문 안으로 사라졌다. 문을 열었던 늙은 하인이 무심한 눈길로 주위를 한 번 쓰윽 둘러보더니 다시 장원 안으로 들어가 문을 걸어 잠갔다.

사위는 조용했다.

아이들 떠드는 소리도 들리지 않았으며, 오가는 이도 없었다. 그야말로 쥐죽은 듯 고요하고 적막해서 을씨년스럽기까지 한 골목 안의 정취였다.

활력이 넘치고 바쁘게 움직이는 사람들로 붐비는 성도부 여느 거리와는 달리, 이곳 골목은 마치 시간이 멈춘 것처럼 느껴질 정도였다.

그때였다.

골목 어귀에 서 있던 버드나무 몸통이 움찔거리는가 싶더니, 이내 나무껍질 사이로 한 명의 노인이 툭 앞으로 튀어나왔다.

바로 위천옥의 명령을 받아 이곳까지 양위의 마차를 쫓아온 백노였다.

"귀찮은 일이다."

백노는 투덜거렸다.

비록 위천옥의 지시를 받고 예까지 사두마차를 미행하기는 했지만, 정작 왜 미행해야 하는지 그 이유를 알 수가 없었다.

물론 마부석의 마부는 평범한 인물이 아니었다. 나름대로 상당한 무공을 소유하고 있었으며 이목도 날카로웠다. 어쩌면 백노의 미행을 눈치챘을 수도 있었다.

그러나 이 드넓은 강호에서 무공 좀 하는 마부가 어디 한둘이겠는가.

위천옥의 흥미를 이끈 건 분명 다른 곳에 있을 터. 아무래도 마차 내부의 인물들에 대한 호기심이 아닐까 싶었다.

"하지만 다들 냄새나는 계집들뿐이었는데."

백노는 코를 킁킁거리며 중얼거렸다. 아직도 마차 뒤를 쫓으면서 맡았던, 지분 냄새와 향내, 그리고 계집 특유의 체취가 그의 코끝에 남아 있었다.

평소 위천옥은 계집들에게 그리 큰 관심을 갖지 않았다. 계집들이란 그저 술병이나 술잔처럼 술을 마시는 데 있어서 필요한 도구이자, 정액을 배출하는 그릇에 불과하다는 게 그의 지론이었다.

그런 위천옥이 관심을 갖는 여인들이라…….

백노는 고개를 갸웃거렸다. 어쨌든 지루하고 귀찮은 일임에는 분명했다.

그는 버드나무에 숨은 채 한참 동안 주변 기척을 살핀 후, 오가는 사람이 전혀 없다는 걸 몇 번이고 확인한 후에야 뒷짐을 진 채 산보하듯 어슬렁거리며 골목을 걷기 시작했다.

하지만 느긋한 걸음걸이와는 달리, 주변을 훑는 그의 눈빛은 조금 전과 달리 예리하게 빛나고 있었다.

'묘하군.'

그게 이 골목에 들어선 첫 번째 감상이었다.

아닌 게 아니라 이 골목은 뭔가 특이하고 이질적이었다. 심지어 불어오는 바람조차 느낌이 달랐다.

존재하되 존재하지 않는 느낌이라고나 할까. 시간의 흐름이 멈추고 사물이 정지된 공간이라고나 할까.

시야에 들어오는 것 중 움직이는 게 없었다. 이렇게 장원들이 늘어선 골목에 사람은 물론, 그 흔한 새나 쥐도 보이지 않았다.

만약 바람마저 불지 않았더라면 꿈이라도 꾸고 있는 걸 거라고 착각할 뻔했다.

'저 장원이지?'

백노는 마차가 들어간 장원을 주시했다.

언뜻 보면 주변 장원들과 별반 다를 바가 없는 장원이었다. 장원의 규모도 그렇고, 담장의 형태도 그렇고 담장 너머로 보이는 평범한 전각의 모습들도 그랬다.

백노는 마치 산책을 하듯 천천히 장원에 다가갔다. 그의 눈빛이 더욱 빛났고 귀가 쫑긋거렸다. 장원 안쪽에서 들려오는 소리나 기척을 잡아내려는 것이었다.

하지만 그는 곧 고개를 갸웃거렸다.

'기이하군.'

골목에 들어선 이후 두 번째로 느끼는 감정이었다.

아무 소리도 들리지 않았다. 그 어떤 기척도 전해지지 않았다. 마치 아무도 살지 않는 텅 빈 장원처럼 인기척이라고는 전혀 느껴지지 않았다.

오직 흉가(凶家)의 스산하고 음울한 기운만이 백노의 살갗에 소름을 만들어 내고 있을 따름이었다.

'하지만 방금 전 마차가 들어가지 않았던가? 게다가 늙은 하인도 있었고…….'

백노는 입술을 깨물었다.

생각할수록 묘하고 기이했다. 느낌이 좋지 않았다. 이른바 백전노장이라 할 수 있는 백노의 육감이 조심하라고, 긴장을 풀지 말라고 말하고 있었다.

어깨에 힘이 들어가고 걸음걸이가 신중해진 채 천천히 장원을 지나쳤다. 백노는 힐끗 장원의 현판을 훑어보았다.

화평장(和平莊).

말 그대로 용사비등(龍蛇飛騰)의 글씨체가 새겨진 현판이 대문 위쪽에 걸려 있었다.

'화평장이라…….'

역시 기묘했다.

이런 식으로 장원의 명칭을 짓는 건 매우 드물고 독특한 일이었다. 갈수록 이 장원이 의심스러워졌다.

당연히 사두마차의 인물들에 대해서도 궁금해졌다. 어쩌면 전혀 엉뚱한 곳에서 호랑이 굴을 발견한 것인지도 몰랐다.

'역시 도련님의 눈썰미라고나 할까?'

그렇게 생각하며 화평장을 지나쳤다, 싶은 순간 그는 빠르게 장원의 담장과 다음 장원의 담장 사이로 난 좁은 골목으로 뛰어 들어갔다.

그리고는 여전히 인기척이 전혀 없다는 사실을 확인한 후, 다짜고짜 가볍게 담장을 뛰어넘었다.

'호랑이 굴인지 뭔지는 직접 들어가 봐야 확인할 수 있는 법.'

백노는 그렇게 내심 담담하게 중얼거리며 주위를 살폈다.


## 2. 호랑이 굴

호랑이 굴이라고 하기에는 너무나도 평범했다. 어디에서나 흔히 볼 수 있는 구조물과 풍경의 장원이었다.

담장에 달라붙은 채 주위를 살피던 백노의 눈빛이 살짝

느슨해졌다. 긴장감이 풀린 듯한 표정이었다.

'살기나 숨어 있는 기척이 전혀 느껴지지 않는 걸 보면
일반 여염집 장원임이 분명하군.'

백노가 그렇게 생각하며 천천히 몸을 움직인다 싶은 순
간, 어느새 그의 신형이 외당과 내당을 구획하는 담장 위
에 버티고 서 있었다.

그는 사방을 훑어보고는 가볍게 담을 박차고 내당의 가
장 큰 전각 지붕으로 날아갔다. 물론 그의 움직임을 알아
차리는 이들은 전혀 없었다.

일반 사람들이라면 결코 그의 움직임을 눈치챌 리 없었
거니와, 무엇보다 애당초 외당의 마당이나 내당의 정원
을 오가는 하인이나 심부름꾼, 시녀들의 모습을 찾아볼
수가 없었기 때문이었다.

'이상하군. 이렇게까지 사람의 기척이 없을 리가…….'

백노는 살짝 눈살을 찌푸리며 곰곰이 생각하다가 문득
지붕 위에서 훌쩍 뛰어내린 후, 다짜고짜 전각 안으로 들
어섰다. 실로 담대하기 그지없는 행동이었다.

설령 자신의 움직임이 들킨다 해도 상관없었다. 이 장
원에는 자신의 행동을 막을 수 있는 자가 단 한 명도 없
다는 자신감의 표출이었다.

삐거덕.

소리와 함께 전각의 문이 열렸다. 어두컴컴한 대청이

백노의 시야로 들어왔다. 백노는 거침없이 대청 안으로 들어섰다.

바로 그때였다.

다시 삐거덕 소리와 함께 저절로 문이 닫혔다. 백노가 반사적으로 움찔거렸다. 동시에 백노의 시야는 대청의 어둠에 잡아먹혀 아무것도 보이지 않게 되었다.

'이렇게 깜깜하다니…….'

백노가 본능적으로 몸을 움츠리며 방어의 자세를 취하는 순간이었다. 느닷없이 허공에서 무언가 떨어지는 기척이 들렸다.

백노는 앞이 보이지 않는 가운데에서도 빠르게 반응하여 그 자리를 피했다.

하지만 아무런 소용이 없었다. 애당초 대청 천장에는 대청을 가득 메울 정도로 거대한 그물이 매달려 있었다.

황급히 몸을 피한 백노의 머리 위에도 그 그물망이 떨어졌으니, 어디로 피해도 결국 당할 수밖에 없었던 것이다.

"헉!"

그물을 뒤집어쓴 백노는 헛바람을 들이키며 벗어나려고 발버둥을 쳤다.

그러나 백노가 움직이면 움직일수록, 손과 발을 휘저으면 휘저을수록 그물은 점점 더 얼기설기 그를 옭아매고

조여 왔다.

"이 따위가 감히 나, 백염살귀(白髥殺鬼)를 옭아맬 수 있겠느냐!"

백노는 격노하여 소리치고는 내공을 한껏 끌어모아 두 손으로 그물을 찢으려 했다.

하지만 그물은 찢어지기는커녕 외려 그의 손발을 더 옥죄고 옭아맸다.

"설마 천잠사(天蠶絲)로 만든 그물인가?"

백노는 악을 쓰며 발버둥을 쳤다.

하지만 움직이고 발버둥 칠수록 그의 움직임이 점점 더 제한되어 갔다.

마침내 그의 오른손이 등 뒤로 가고 왼손은 허벅지에 묶이고 두 다리는 반대편으로 꼬인 형국이 되자, 더는 옴짝달싹도 하지 못하게 되었다.

마치 거미줄에 칭칭 동여 매인 날벌레와 같은 모습이라고나 할까. 말 그대로 손가락 발가락 하나 까닥거릴 수 없는 꼴이 되고 말았다.

"이, 이 무슨……."

백노는 얼굴이 시뻘겋게 달아올랐다.

손과 발이 그렇게 구속당하자 내공도 끌어올릴 수가 없었고, 무공도 펼칠 수가 없었다. 말 그대로 완벽하게 구속을 당하게 된 것이다.

움직이지 못한다, 자신의 몸을 스스로 제어할 수 없다, 내 뜻대로 행동할 수가 없다, 라는 상황이 얼마나 부끄럽고 창피하며 자존심을 깎아내리는 일인지 비로소 알게 되었다.

그건 무공을 배운 이후 처음 겪어 보는 수치였다. 자긍심이 와르르 무너져 내렸다.

참을 수 없는 굴욕감이 전신을 휘감았다. 오가는 행인들 앞에서 홀딱 벗은 제 엉덩이를 드러내는 것보다 백배는 더 견딜 수 없는 좌절감이 그의 몸과 마음을 무너뜨리기 시작했다.

"누구냐!"

백노는 고래고래 고함을 질렀다.

"누가 이런 더러운 짓을 하느냐! 당장 나와서 이 썩을 놈의 그물을 잘라 내지 못할까?"

그는 목에 핏줄이 서도록 소리를 질렀다.

여전히 대청은 깜깜해서 코앞도 제대로 보이지 않았고 들리는 소리라고는 오로지 백노의 고함뿐이었다. 입을 다물고 가만있으면 마치 어둠 지옥에 갇혀 있는 것 같은 착각이 들 정도였다.

그래서였다.

백노는 목이 쉬도록 고래고래 소리치고 있었다.

"당장 모습을 드러내라! 강호무림인답게 칼과 주먹으

로 당당하게 싸우자!"

* * *

"묘하군."

강만리는 무심결에 코를 훌쩍이며 중얼거렸다.

제법 날씨가 풀렸다고는 하지만, 그래도 이렇게 높은
망루에 올라와 있다 보면 한 번씩 불어오는 싸늘한 바람
에 절로 부르르 몸을 떨며 움츠리게 된다. 그래서 망루를
지키는 무사들은 늘 두툼한 솜옷을 입고 있었다.

강만리는 엄지로 한쪽 콧구멍을 틀어막은 다음 "흥!"
하고 세차게 콧바람을 냈다. 그러자 아까부터 그를 괴롭
히던 짙은 콧물이 벼락처럼 망루 아래로 쏘아졌다.

망루에는 제법 많은 사람이 모여 있었지만 누구 하나
신경 쓰는 사람이 없었다. 지금 그들의 관심은 온통 망루
아래, 화평장 담장 바깥의 광경에 쏠려 있었다.

바로 강만리 곁에서 망루 아래를 내려다보던 헌원노광
도 마찬가지였다. 그는 강만리의 추저분한 행동에는 아
랑곳하지 않고 자랑스럽다는 듯이 어깨를 으쓱거리며 말
했다.

"천라회회불도진(天羅恢恢不逃陣)이라고 하네. 아주
오글거릴 정도로 거창한 이름이지? 하지만 그렇게 거창

해도 되네. 그만한 힘을 지닌 진법이니까."

"정말 묘하구려."

강만리는 다시 반대쪽 코를 풀고는 말을 이었다.

"한 번도 진법에 갇혀 본 적이 없어서인지는 모르겠지만, 제정신을 가진 사람이 갑자기 저렇게 미친 것처럼 행동한다는 게 도저히 이해가 가지 않소."

"진법에 갇혀 본 적이 없어서 그렇게 말하는 걸세. 그래서 추천했잖은가, 한 번쯤 갇혀 보라고."

"아아, 어지러운 건 선천적으로 싫어해서……."

강만리는 가볍게 손사래를 치고는 다시 망루 아래로 시선을 돌렸다.

장원 밖, 담장과 담장 사이로 난 좁고 막다른 골목길. 그곳에 한 늙은이가 홀로 땅에 누운 채 발버둥을 치고 있었다.

그는 마치 보이지 않는 그물에 꽁꽁 묶이기라도 한 양, 애벌레처럼 몸을 구부린 채 옴짝달싹도 하지 못했다.

한때는 새하얀 백의였을, 하지만 지금은 흙과 먼지에 더럽혀진 옷을 입은 채 노인은 입을 크게 벌리고 뭔가 고함을 내지르는 것 같았는데, 현실은 아무 소리도 내지 못하고 그저 물고기처럼 입만 뻐끔거리고 있었다.

조금 전 사두마차를 쫓아서 이 버드나무길까지 미행한, 그리고 은근슬쩍 화평장의 담장을 넘으려 했던 바로 그 노인이었다.

"호오. 이 정도면 내가 따로 손볼 곳이 없을 것 같구려.
아니, 내가 한 수 배워야 할 것 같소이다."

진법에는 일가견이 있는 만해거사가 놀랍다는 표정을
지으며 말했다.

"진짜 진법에 문외한이셨다는 게 믿어지지 않는구려."

만해거사의 칭찬에 헌원중광은 쑥스럽다는 듯 머리를
긁적이며 말을 받았다.

"내가 한 건 아무것도 없소. 모두 화 부인과 장 부인의
작품이라오."

화 부인이라면 화군악의 아내 정소흔을 뜻했고, 장 부
인이라면 장예추의 아내인 당혜혜를 가리키는 말이었다.

확실히 이 천라회회불도진이라는 거창한 이름을 지닌
진법은 그녀들의 지식과 경험을 바탕으로 만들어진 진법
이었다.

"아니죠, 이 진법은 확실히 헌원 노대의 작품입니다."

한 달가량 당혜혜, 정소흔 등과 함께 장원을 비웠던 양
위가 고개를 저으며 말했다.

"물론 두 부인께서도 상당한 공헌을 하신 건 잘 알고
있습니다만 그 두 부인께서 한 달가량 장을 비우셨을 때,
오로지 헌원 노대 혼자서 이렇게 대단하고 무시무시한
진법을 완성하셨잖습니까? 남궁세가나 제갈세가 사람들

도 아마 놀라서 까무러칠 게 분명합니다."

그의 칭찬에 헌원중광의 뺨이 살짝 달아올랐다.

"에헴!"

헌원중광은 헛기침을 하며 말했다.

"뭐 그리 대단한 건 아닐세. 사실 힘들고 어려웠던 건 천라회회불도진이 아니라 현현신루진(玄玄蜃樓陣)이었다네. 그 현현신루진을 어떻게 버드나무길 전체에 덮어서 장원의 외양과 본모습을 드러내지 않게 만드느냐, 하는 부분이 가장 어려웠지. 그에 비하자면 저런 골목길이나 후문 쪽에 설치한 천라회회불도진은 덤 같은 거였다네."

"그게 놀랍다는 것이오."

다시 만해거사가 끼어들었다.

"기실 하나의 대진(大陣)을 만들고 그 안에 여러 개의 소진(小陣)을 새겨 넣는 건 진법의 전문가라면 어느 정도 가능한 방식이고, 또 종종 그런 식으로 진법을 설계하기도 하오. 하지만 그건 어디까지나 대진의 기본 성격과 구성에서 벗어나지 않는 보조적인 입장에서의 소진이라는 것이오."

진법은 사람이 직접 참가하느냐, 오로지 기물(器物)들로만 구성하느냐에 따라서 인진(人陣)과 기문진(奇門陣)으로 나뉜다.

그리고 기문진은 그 역할과 목적에 따라서 다시 크게 세 가지로 나눌 수가 있었다.

우선 진에 들어선 자가 주변의 허상(虛像)에 속아 길을 잃고 헤매게 만들어 결국 진 밖으로 쫓아내는 미로진(迷路陣)이 하나로, 구궁미로진(九宮迷路陣)이 그 대표적인 진법이었다.

둘째로는 진에 들어선 자가 평소 원하던, 혹은 바로 이 상황에서 가장 하고 싶어 하는 상황에 대한 환상을 보여 줌으로써 이지를 상실하고 환각에 빠지게 만드는 미환진(迷幻陣)이 그것이었다. 사파의 유명한 몽혼요녀극락진(夢魂妖女極樂陣)이 미환진에 속한다.

마지막으로 진에 들어선 자에게 살수(殺手)나 맹수, 귀신 등의 환각을 보여 줌으로써 공포심과 위기감을 증폭시켜 이성을 마비시키고 정신을 잃게 만들거나, 아예 그 공포와 두려움에 의해 목숨까지 잃게 만드는 쇄살진(碎殺陣)이 있었다.

내공이나 무공도 그렇지만, 진법 또한 같은 성격과 목적을 지닌 진법끼리 쉽게 구성할 수 있고 연환(連環)할 수 있으며 효과도 뛰어났다.

가령 구궁미로진 안에 다시 만년단애진(萬年斷崖陣)을 설치한다면, 그 진식에 현혹된 자는 끝없는 미로를 헤매다가 어느 순간 천 길 만 길 낭떠러지 위에 서 있는 자신을 발견하게 될 것이다.

한 곳에 크고 작은 진을 설치한다는 건 그런 식으로 하나의 뚜렷한 목적 속에서 서로를 보완하고 상생하여 더 큰 효과를 발휘하게끔 하는 것이다.

그런데 지금 이 헌원중광의 진법은 그게 아니었다. 큰 뼈대가 되는 현현신루진은 미로진이었다.

버드나무길의 공간을 일그러뜨리고 왜곡시켜서 화평장의 본래 모습을 지우고 일반 장원의 그것으로 오인하게 만들며, 화평장 측에서 받아 주지 않으면 그 어떤 방법을 써도 화평장 안에 들어올 수 없게 만드는 진법이 바로 현현신루진이었다.

반면 그 현현신루진 안에 설치된 천라회회불도진은 쇄살진이었다.

진에 들어선 자의 성격이나 기분, 감정에 따라서 다양한 것들이 다양한 방법으로 공격하고 덤벼든다.

암습이나 기습, 함정과 흉계도 있지만 물론 그 모든 것들은 진에 들어선 자만이 느끼는 환각에 불과했다. 심지어 목숨까지 잃을 수 있는 위험한 환각을 만들어 내는, 바로 전형적인 쇄살진이었다.

그렇게 성격과 목적이 서로 다른 대진과 소진이 설치되면 서로 충돌하고 어긋나며 조화를 이루지 못해서 결국 제 효능을 발휘하지 못한 채 와해되기 십상이었다.

만해거사가 헌원중광에게 찬탄하는 건 바로 그 점이었다. 서로 성격이 다른 두 개의 진이 충돌하지 않고 어긋나지 않으며 제대로 조화를 이룰 수 있게끔 세세하게 조절하고 설치했다는 걸 칭찬하는 것이었다.

만해거사의 칭찬은 게서 끝나지 않았다.

"만약 헌원 형이 어렸을 때 기관진식 쪽에 입문하셨다면 지금쯤 노반(魯班)이나 자부선생(紫府仙師) 못지않은 일대종사(一大宗師)가 되셨을 것이오."

헌원중광의 얼굴이 새빨갛게 변했으며 안면 근육이 절로 씰룩거렸다.

노반이라 함은 전설적인 장인(匠人)이었으며, 자부선사는 기문둔갑술(奇門遁甲術)의 창시자라고도 알려진 전설 속의 인물이었으니, 헌원중광은 만해거사가 그런 종사(宗師)들까지 들먹이면서 칭찬하는 걸 기뻐해야 할지 아니면 농담도 심하지 않냐고 성을 내야 할지 갈피를 잡을 수가 없었다.


3. 헌원중광


헌원중광은 헛기침을 하며 얼른 화제를 돌렸다.

"어쨌든 천라회회불도진에 걸리면 저 늙은이처럼 큰코

다치게 되네. 우리가 손을 쓰지 않으면 저 늙은이, 죽을 때까지 저 상태로 있을 게야."

사실 백노는 애당초 담장을 넘지도 못했다.

담장을 넘어서 내당으로 날아가 전각 지붕 위로 내려서고 다시 대청 문을 열고 들어서는 그 모든 것들이 단지 그의 환각에 불과했다.

그저 그는 그 골목길에 홀로 서서 담을 넘는 시늉을 하고 제자리에서 경공술을 펼치는 흉내를 내고 다시 전각 안으로 들어가는 시늉을 했을 뿐이었다.

그리고 또 바로 그 자리에서 자신을 덮치는 그물과 옥신각신하다가 혼자 바닥에 쓰러져서 고래고래 소리를 지르고 있다고 착각한 것이다. 아니, 그런 환각 속에 빠져 있는 것이다.

'처음 이야기를 들었을 때만 하더라도 긴가민가했었는데…… 이렇게 완성된 걸 보니 정말 믿을 수 없을 정도의 효력을 발휘하는구나.'

양위는 새삼 감탄했다.

이 두 개의 진식에 대한 이야기를 처음 꺼낸 건 역시 헌원중광이었다.

사실 당시 사람들이 놀랐던 건 그 진식의 방대함 때문이었다. 애당초 화평장만 아니라 버드나무길 전체를 진법으로 휘감겠다니, 도대체 어느 누가 그런 광대한 생각을 할 수 있겠는가.

 또 그 발상 자체도 대단했지만, 사안이 결정되자 그 일
을 진행하는 추진력 또한 놀라웠다. 그 계획에는 수백만
냥의 은자와 진법의 전문가들이 필요했지만, 헌원중광은
조금도 개의치 않고 밀어붙였다.

 부족한 예산은 자신이 아끼는 물건들까지 담보로 잡아
서 충당했고, 사천당문의 당혜혜와 무당파의 정소흔과
함께 그 거대한 진법을 구체화해 나갔다.

 그리고 그 결과가 바로 이것이었다.


                    *   *   *


 "아무도 모르게 주변 장원들을 하나둘씩 사는 게야. 그
래서 이 버드나무길 전체를 우리의 것으로 만들고 거기
에 진법을 덮으면 되는 게지."

 두어 달 전 헌원중광이 그렇게 이야기했을 때 사람들은
그 기상천외한 발상에 놀라 아무 말도 하지 못했다.

 한참이 지난 후에야 비로소 당혜혜나 정소흔이 고개를
끄덕이며 겨우 입을 열었다.

 "그런 대규모의 진법이라면 확실히 지금보다 훨씬 안
전해질 수 있어요. 어쨌든 우리 화평장의 본모습을 제대
로 감출 수가 있으니까요."

하기야 사오 층 높이의 망루가 그것도 네 개씩이 높이 세워진 장원은 언뜻 봐도 결코 평범해 보일 리가 없었으니, 그 외양을 속일 수만 있어도 상당한 방어 효과가 나타날 것이다.

"물론 계획대로 진법을 설치할 수 있다면 말이에요. 그렇게 거대한 진법을 한 치의 오차도 없이 완벽하게 설치한다는 건 정말 어려울 게 분명하거든요."

"거기에다가 진법 속의 진법이라니…… 거기까지는 저도 잘 모르겠어요."

"저도 마찬가지예요. 아무래도 우리보다 더 뛰어난 진법의 전문가가 필요해요."

당혜혜와 정소흔이 앞다퉈 이야기했다. 그녀들의 말을 가만히 듣고 있던 강만리가 불쑥 입을 열었다.

"주변 장원들을 사들일 자금도 만만치 않을 것 같은데."

일순 대청의 사람들 모두 난색을 표했다.

사실 강호무림인들에게 있어서 돈 문제만큼 난감한 게 없었다. 몇 냥 몇 푼 꼬치꼬치 따지는 건 자신들의 체면이 상하고 자존심에 금이 가는 일이라고 생각하는 게 무림인들이었다.

그래서 화평장의 자금 문제 역시 강호무림인과는 가장 멀리 떨어져 있는 강만리와 설벽린이 도맡아서 처리하는 실정이었다.

"부족한 건 내가 채우지."

헌원중광은 무뚝뚝하게 말했다.

"그래도 내가 만든 물건들, 비싸게 사겠다는 사람들도 있고 또 담보로 맡길 수도 있으니까."

강만리는 웃으며 말했다.

"아니, 그 정도까지 돈이 없는 건 아니오. 무엇보다 군악과 예추가 십만대산에서 가져온 재화들이 있으니."

하지만 그 재화들 모두가 당장 사용할 수 있는 금이나 은이 아니라는 게 문제였다.

묘안석(猫眼石)이나 피독주(避毒珠), 야명주(夜明珠) 같이 일개 성(城)을 살 수도 있다는 보물들은 그 보물을 살 만한 재력을 지닌 이에게 팔려야만 돈이 되는 것이다. 그 전에는 그저 보기 좋고 감상하기 좋은 장식품에 지나지 않았다.

"그러니까."

헌원중광은 잘라 말했다.

"내 돈을 쓴다고 해서 떼어먹힐 걱정은 안 해도 되는 거잖은가? 도저히 강 장주를 믿지 못하겠다 싶으면 아예 묘안석 한두 개 정도 담보로 받아도 되고."

가만히 그를 바라보던 강만리는 흔쾌히 고개를 끄덕이며 말했다.

"좋소. 헌원 노대께서 그렇게까지 말씀하시는데 우리가 망설이면 그야말로 주객전도(主客顚倒)일 터, 모든 자금과 지식을 총동원해서 한번 만들어 봅시다."

그렇게 결정이 나자 헌원노대는 정열적으로 움직였다.

아란과 함께 주변 장원들을 하나둘씩 구매하는 한편, 당혜혜와 정소흔과 더불어 진법의 얼개를 짜고 설계하기 시작했다.

물론 모든 일이 일사천리로 진행되지는 않았다. 인근 장원 주인 중에서는 두 배 이상의 값으로 매매하겠다고 해도 싫다는 이들도 있었다.

부모 대(代)부터 살던 곳이라서, 혹은 이미 돈은 차고 넘쳐서, 혹은 네다섯 배의 금액으로 팔려고 해서 등등 팔지 않으려는 이유는 많았다.

하지만 불과 두어 달 만에 이 버드나무 길 대부분의 장원을 구입할 수 있었던 건 아란과 고굉의 힘이 매우 컸다.

장원 구입의 책임을 맡은 아란은 어떻게든 장원의 주인들을 삶고 구워서 장원을 팔게끔 유도했다. 자신의 미인계는 물론, 정 안 되면 고굉을 불러 힘을 과시하기도 했다.

고굉은 성도부에서 제법 알아주는 흑도방파의 인물이었으며, 한때 성도부 최고의 흑방인 흑룡방의 방주이기도 했다.

아무리 기세등등하고 오만한 장주(莊主)라 하더라도 고굉이 모습을 드러내면 금세 허리가 굽어지고 고개를 숙이게 됐다. 비록 흑룡방이 괴멸되기는 했지만, 그래도 성도부에서 아직 고굉의 얼굴은 널리 통용되고 있었으니까.

돈과 미모와 주먹.

아란은 그 세 가지를 시의적절하게 사용했고, 그 결과 지금 이렇게 대부분의 장원을 화평장의 소유로 만들게 되었다.

그렇게 아란과 고굉이 장원들을 구매하는 동안 당혜혜와 정소흔은 헌원중광과 더불어 새로운 진식을 구상하고 얼개를 짜는 데 골머리를 썩었다.

화평장뿐만 아니라 이 버드나무길 전체를 뒤덮는 거대한 진법은 그녀들 역시 단 한 번도 만들어 보지 못한 진법이었다.

거기에다가 또 성격이 전혀 다른 진식들과 조화를 이룰 수 있도록 아주 미세한 조정까지 완벽하게 해내야 했다.

그것은 마치 백팔 개로 이뤄진 톱니바퀴들을 단 한 치의 오차도 없이 완벽하게 맞아떨어져 돌아갈 수 있게 만드는 일과 같았다.

기문진을 만드는 건 다음과 같았다.

먼저 진법의 성격과 크기, 목적을 구상한 다음 기초적

인 뼈대를 세운다.

거기에 사상(四象)과 팔괘(八卦)를 접목한 다음 구궁(九宮)의 변화까지 예측해서 주변 기물들을 설치하고, 주문(呪文)과 부적(符籍)을 동원해 마무리를 짓는다.

그렇게 만들어진 기문진은 결계(結界)와 같아서 내부의 공간을 외부와 완전하게 단절시켜 사람들의 출입을 금하게 만든다.

거기에다가 잘못 발을 디뎌 놓은 사람들을 현혹하여 미혹에 빠뜨리고 주박(呪搏)한다. 만약 마음을 빼앗기고 이지(理智)를 놓치는 순간, 그자는 영원히 기문진에 갇혀서 빠져나오지 못하게 된다.

당혜혜와 정소흔은 사천당문으로 떠나기 직전까지 현현신루진을 설계하고 기물을 설치하고 주문과 부적을 만들었다.

한편 그녀들이 떠난 후 헌원중광은 나름대로의 인맥을 동원하여 마지막 작업에 몰두했다. 한동안 화평장에 정체 모를 도사들과 술사들이 드나든 건 바로 그 때문이었다.

"고묘파(古墓派) 도사들이네. 모산파(茅山派)에서 갈라져 나왔지만, 또 모산파라면 죽어라 이를 가는 친구들이지. 입이 무겁고 눈이 어두우며 귀가 멀어서, 비밀 엄수에는 딱인 친구들이네."

헌원중광은 그렇게 강만리에게 소개했다.

강만리는 눈 멀쩡하게 뜬 채로 "반갑습니다."라고 정중하게 인사하는 도사들을 보며 '눈이 어쩌고 귀가 저쩌고 한 건 그저 표현이 그런 거로구나.' 하고 고개를 끄덕였다.

"어쨌든 이 일은 헌원 노대께 맡겼으니까요."

강만리는 그렇게 말했고, 헌원중광은 마침내 그 기대에 부응하여 현현신루진과 천라회회불도진이라는 대공사를 완성시켰다.

7장.
아버지라는 게

주위에서 자신의 자식들을 어찌 대하는지 보면서 깨닫고 배울 수 있었다.
아버지라는 게 저절로 되는 게 아니라
노력하고 학습하고 느껴야 한다는 것도 알게 되었다.
조금씩 아이들에게 마음을 열고 진심으로 다가가는 방법을 익혔다.

### 1. 보고 싶었느냐?

버드나무길에 들어서는 순간 양위는 기문진이 설치되어 있다는 사실을 인지했다.

그는 아무렇지 않다는 듯이 곧바로 휘파람을 불었다. 물론 그 휘파람은 화평장 내부에서 사전에 정해 놓은 암호였다.

-꼬리가 달라붙었다. 조심해서 문을 열어 줘.

휘파람을 통해 그런 내용을 전달한 후 양위는 버드나무 길을 빠져나가 다시 크게 한 바퀴 돌았다.

연락을 받은 화평장의 경비 무사들은 곧바로 강만리에게 보고했다.

마침 강만리는 유 노대와 함께 만해거사에게 장원을 안내하던 참이었다. 강만리는 헌원중광을 불러 함께 망루로 올랐다.

얼마 지나지 않아 양위의 사두마차가 다시 버드나무길로 들어섰다.

화평장의 문이 열리고 마차가 들어왔다. 강만리 일행은 버드나무길 어귀에서 시선을 떼지 않았다.

얼마나 지났을까.

양위가 헐레벌떡 망루 위로 달려올 무렵, 마침내 경계심 많은 늙은이 하나가 버드나무 껍질 사이로 모습을 드러냈다.

"사파의 은잠술(隱潛術)이군. 의복이나 천으로 나무껍질처럼 속여서 몸을 숨기는 수법이지. 꽤 오래간만에 보는구먼."

유 노대가 고개를 끄덕이며 중얼거렸다.

"구천십지백사백마 중에서 저 사술(邪術)에 능한 자들이 있었다네. 오행신마귀(五行神魔鬼)라고, 특히 그중에서 혈사(血邪)는 벽 속에도 숨고 마룻바닥에도 은신할 수 있다고 했네. 정사대전 당시 그 오행신마귀가 정파 회의 석상까지 잠입하는 바람에 꽤 많은 정보가 유출되기도

했었지."

만해거사가 말을 받았다.

"만약 저자가 그 오행신마귀 중의 하나라면 백의를 입고 백염(白髥)을 길렀으니 백염살귀일 가능성이 있겠군."

두 노인이 대화를 나누는 동안 백염살귀로 짐작되는 노인은 그제야 비로소 천천히 버드나무길로 이동했다. 확실히 경계심이 강하고 인내력이 뛰어난 인물이었다.

"하지만 그 경계심과 인내력 모두 소용없게 되었네. 그저 버드나무길 안쪽으로 한 걸음 내딛는 거로 말이지."

헌원중광은 주먹까지 불끈 쥐며 노인의 움직임을 지켜보았다.

노인은 마치 주변 인근의 장원 사람이 산책을 나온 듯 뒷짐을 진 채 느긋하게 길을 걸었다. 화평장을 지나며 주위에 아무런 인기척도 없다는 걸 확인한 노인은 곧장 화평장 옆 골목길로 뛰어들었다.

그리고는 제 자리에서 허공 높이 뛰는 시늉을 하더니 다시 제자리에 주저앉으며 사위를 경계하는 행동을 했다.

"제대로 작동하는구나!"

헌원중광이 손뼉을 치며 환호했다.

"천라회회불도진! 어제 보수하기 전에 말썽을 피워서 조금 걱정하고 있었는데, 정말 다행이다."

헌원중광은 살짝 눈물까지 보이며 중얼거렸다.

망루의 사람들은 헌원중광의 노고에 대해 칭찬을 늘어놓는 한편, 천라회회불도진에 갇힌 노인이 하는 행동을 호기심 어린 시선으로 지켜보았다.

노인은 제자리를 걷고 다시 뛰어올랐다가 뛰어내리기를 반복, 이윽고 문을 열고 어딘가로 들어가는 시늉을 하더니 이내 보이지 않는 그물에 꽁꽁 묶인 듯 털썩 쓰러지더니 옴짝달싹도 하지 못했다.

"완벽하군."

강만리가 중얼거렸다.

"그럼 이제 저 노인네가 누구인지, 왜 양 당주의 마차를 미행했는지 알아내는 일만 남았군그래."

헌원중광이 머쓱한 표정을 지으며 말을 받았다.

"그건 내 담당이 아니라서."

"괜찮소."

강만리가 슬쩍 웃으며 말했다.

"그건 따로 잘하는 사람이 있으니까."


\* \* \*


회의를 마친 담우천은 대청을 나와 유운각으로 향했다.

유운각은 강만리가 마련해 준 담우천 일가(一家)의 거처로, 담우천은 그곳에서 두 명의 아내와 세 명의 자식과 함께 생활했다.

두 아내 중 한 명인 나찰염요가 당혜혜들과 함께 사천 당문으로 떠났고, 강만리와 화군악의 자식들까지 소화가 돌보고 있는 까닭에 지금 유운각에는 한 명의 아내와 다섯 명의 아이들이 있었다.

물론 소화 혼자서 그 다섯 명의 아이들을 모두 돌보는 건 아니었다. 따로 시녀와 내마(奶媽)들이 있어서 어지간한 일들은 그녀들이 도맡아 처리했다.

그렇다고 해서 소화가 편히 쉴 수 있는 건 아니었다. 어쨌든 아이들은 그녀의 책임, 늘 신경 써야 하고 한눈을 팔지 않아야 했으니 그 정신적 피로도는 말로 형용할 수가 없을 정도였다.

하지만 소화는 언제나 웃는 낯으로 아이들을 대했고 부드러운 미소와 따뜻한 표정을 잊지 않았다. 그녀는 모든 아이들을 자신의 친자식처럼 대하고 보살폈다.

그런 소화였기에 예예나 정소흔이 마음 편히 그녀에게 아이를 맡기고 여행을 떠날 수 있었던 것이다.

담우천이 유운각에 들어설 때도 대청에서는 소화가 정신없이 바쁘게 움직이는 중이었다.

담창이 벌거벗은 채 까르르 웃음을 터뜨리며 소화를 피

해 도망치는 중이었고, 소화와 담호가 옷가지를 들고 그를 잡으려 이리저리 뛰고 있었다.

"아, 아빠!"

마침 문 쪽으로 도망치던 담창이 막 대청 안으로 들어서는 담우천을 보고는 환호하며 달려와 안겼다. 담우천은 저도 모르게 아이를 안아 들고는 무뚝뚝한 어조로 물었다.

"춥지도 않느냐? 왜 홀딱 벗고 있지?"

담창은 대답 대신 까르르 웃으며 소화를 가리켰다. 소화는 이리저리 뛰느라 발개진 얼굴로 방긋 웃으며 말했다.

"오셨어요?"

"아빠!"

담호도 한달음에 안길 듯 달려오다가 우뚝 멈추더니 우물쭈물하다가 고개를 숙이면서 의젓하게 말을 바꿔 인사했다.

"다녀오셨습니까, 아버님?"

호오, 아버님이라.

아버님, 처음 들어 보는 말이었다.

'그리고 보니 벌써 이 녀석도 열세 살이 되었구나. 아니, 열두 살이었던가?'

기억이 가물가물했다.

아이들 나이는 언제나 제 엄마 자하가 챙겼다. 생일도 마찬가지였다. 그래서 담우천은 아이들의 나이도 헷갈렸고 생일도 제대로 기억하지 못했다.

그나마 담호가 제 생일과 동생의 생일을 기억하고 있었기에 망정이지, 하마터면 두 아이의 생일조차 챙겨 주지 못할 뻔했다.

문득 담우천의 가슴 한편이 아렸다.

그래도 동생 녀석은 어리다고, 세상 물정 모른다고 이렇게 달려와 아비 품에 안기는데, 형인 담호는 어느새 훌쩍 커서 아버님이라는 단어를 사용하고 있었다.

'아호가 내 품에 안긴 게 언제였더라?'

역시 기억이 가물가물했다.

사내는 강하게 키워야 한다고 생각했다.

어린 시절, 동료들을 서로 죽여 가면서 겨우 버티고 살아남은 담우천에게 있어서 자식에게 주는 애정이 무엇인지, 어떻게 자식을 키워야 하는지 알 리가 없었다.

애당초 그래서 담우천은 아이를 가질 생각이 전혀 없었다. 자신이 아버지의 역할을 전혀 해내지 못할 거라는 걸 잘 알고 있었다.

만약 자하가 그런 그를 끝까지 다독이고 설득하지 않았더라면 담우천은 결코 아이를 갖지 않았을 것이다.

하지만 세월이 흐르고 아이들의 성장을 보는 동안 담우

천의 심정이 조금씩 변하기 시작했다.

주위에서 자신의 자식들을 어찌 대하는지 보면서 깨닫고 배울 수 있었다.

아버지라는 게 저절로 되는 게 아니라 노력하고 학습하고 느껴야 한다는 것도 알게 되었다. 조금씩 아이들에게 마음을 열고 진심으로 다가가는 방법을 익혔다.

담호는 그 담우천의 변화 덕분에 이렇게 거리낌 없이 아빠 품에 안기는 아이가 되었다.

하지만 아쉽게도 담창은 그렇지 못했다. 담우천이 변화하는 동안 어느새 담창은 훌쩍 커 버렸다. 제 아비의 변변한 도움도 받지 못한 채 홀로 어른이 되고자 하고 있었다.

제 아비의 변화를 모른 채 더 이상 아빠라는 말을 사용하지 않게 된 것이다.

그래서 가슴이 아팠다.

아버지의 정도 모르고 자란 아이. 그 아이가 지금 자신을 향해 아버님이라고 부르는 것이다.

눈가가 달아올랐다. 울컥했다. 꿀렁거리는 무언가가 목구멍 밖으로 쏟아질 것만 같았다.

"이리 오렴."

담우천이 한 손을 내밀었다. 반쯤 쉰 목소리가 힘겹게 입 밖으로 흘러나왔다.

담호는 머뭇거렸다. 어느새 소화만큼 커 버린 아이, 그 아이는 어색하고 부끄러운 표정을 감추지 못한 채 천천히 다가와 제 아비에게 안겼다.

담우천은 양팔에 아이를 하나씩 안은 채 애써 무뚝뚝하게 물었다. 그렇게라도 해야 저 가슴 밑바닥에서부터 온갖 감정이 넘쳐흐르는 걸 막을 수가 있었다.

담우천은 힘들게 물었다.

"아빠가 보고 싶었느냐?"


## 2. 당하고 살아야 할 운명

"응!"

"네."

담창은 활기차게, 담호는 조심스럽게 대답했다.

"나도 보고 싶었다."

담우천은 어색하게 말했다.

"응, 나두!"

담창이 그의 얼굴에 제 얼굴을 대고 마구 비볐다. 녀석의 콧물이 담우천의 얼굴에 잔뜩 묻었다.

담호는 머뭇거리다가 담우천의 어깨를 감싸 안았다. 그 위로 어느새 다가왔는지 소화가 그를 껴안았다.

"저는 보고 싶지 않았어요?"

그녀가 은근하게, 살짝 토라진 흉내를 내면서 담우천의 귀에 대고 소곤거렸다. 그의 귓불이 달아올랐다.

"허험. 보고 싶었지, 자네도."

"다행이네요. 기뻐요."

소화는 다시 소곤거렸다. 그녀의 따뜻하고 부드러운 숨결이 담우천의 귀를 간질였다.

그렇게 네 사람이 꼭 껴안고 있으려니, 갑자기 담창이 발버둥을 치며 소리쳤다.

"답답해!"

소화와 담우천이 화들짝 놀라며 떨어졌다. 담호가 담창을 잡고 말했다.

"잡았다. 이제 옷 입어야지?"

담호는 소화에게 옷을 건네받고는 담창에게 옷을 입혔다. 담창이 깔깔 웃으며 발버둥을 쳤다.

하지만 담호는 미꾸라지처럼 빠져나가려는 담창을 부드러운 손놀림으로 제압하고는 간단하게 옷을 입혔다.

그 광경을 지켜보던 담우천이 살짝 놀라 저도 모르게 담호에게 질문을 던졌다.

"그 손놀림, 누구에게 배웠느냐?"

방금 전 담호가 담창을 제압한 손놀림은 그저 평범한 손놀림이 아니었다. 무공의 한 종류인 금나수법(擒拿手

法)임이 분명했다.

손과 손가락을 이용하여 상대방의 근골이나 혈도를 제압하여 꼼짝하지 못하게 만드는 수법. 그것도 삼류의 평범한 무공이 아닌 절정의 금나수였다. 게다가 담우천의 눈에 익어 전혀 낯설지 않은 금나수.

담호는 담창의 옷을 입히면서 대답했다.

"아, 이거요? 정 숙부가 가르쳐 주셨어요. 태극밀영십삼수(太極密影十三手)라고 했던 것 같은데."

"으음."

담우천은 얕은 신음을 흘렸다.

역시, 하는 생각이 들었다. 담호의 손놀림이 왜 전혀 낯설지 않았는지 쉽게 이해가 되었다.

태극천맹은 오대가문과 구파일방을 중심으로 하여 정파의 수백여 문회방파가 모여 만든 집단이었다. 그런 만큼 각 문파의 고유 무공이 있을 뿐 태극천맹만의 무공이라는 게 있을 리가 없었다.

서로 다른 무공을 사용하다 보니 동질감이라는 게 부족할 수밖에 없었고, 각자의 무공을 비교하거나 폄훼하는 등 부작용이 심하게 되었다.

그런 연유로 태극천맹은 백팔연단관이라는 수련관을 설립, 천맹의 일원이 되려는 연습생들에게 그들만의 무공을 가르치기 시작했다.

태극천맹의 무공에는 오대가문과 구파일방의 무공만이 뼈대가 된 게 아니었다. 그들은 이름 없는 문파의 무공 중에서도 괜찮다 싶은 것들이나 심지어는 사마외도의 무공도 가져와 자신들의 것으로 만들었다.

태극천맹은 그 기존의 무공들을 바탕으로 해서 보다 실전적이고 속성으로 수련할 수 있는 무공들을 창안했고, 그렇게 만들어진 태극천맹만의 무공 중 하나가 바로 태극밀영십삼수였다.

그리고 그 태극밀영십삼수의 기초가 되는 무공이 바로 담우천이 익힌 금불밀영십삼수(禁佛密影十三手)라는 금나수였던 것이다.

잠시 생각하던 담우천이 다시 물었다.

"정유 숙부가 가르쳐 줬다고?"

"네."

어느새 담창의 옷을 다 입힌 담호가 담창을 놓아주며 대답했다.

담창은 다시 담우천의 발에 대롱대롱 매달리며 크게 소리쳤다.

"숙부 나빠!"

의외의 말에 담우천의 눈이 휘둥그레졌다. 그는 제 발에 매달려 있는 둘째 아들을 내려다보며 물었다.

"그게 무슨 뜻이지?"

둘째 아들은 분하다는 듯이 소리쳤다.

"나만 가르쳐 줘야지, 형아도 가르쳐 줬어!"

"응? 너도 금나술(擒拿術)을 익혔느냐?"

"아뇨, 그게 아니라…….'

담호가 살짝 난감한 듯 웃으며 끼어들었다.

"며칠 전 내당 마당에서 아창과 술래잡기를 했거든요. 아창이 도망치지 못하고 매번 제게 잡혔는데 그게 분했는지 엉엉 울었어요."

담호의 설명에 따르자면 마침 그때 정유가 지나가다가 담창이 우는 걸 보고는 무슨 일인지 물었다는 것이다.

담창은 한없이 서글픈 목소리로 제 억울한 사정을 설명했고, 정유는 잠시 홀로 웃다가 "그렇다면……." 하고는 담창에게 보법(步法) 하나를 가르쳐 주었다.


"아주 간단한 보법이란다. 하지만 세상 모든 보법의 기본이 되기도 하지."


당시 정유는 담창에게 그렇게 말했다고 했다.

담호로부터 그런 이야기를 들은 담우천은 저도 모르게 중얼거렸다.

"오행보(五行步)나 칠성보(七星步) 정도 되겠군. 아니, 아호의 나이를 생각하면 오행보일 가능성이 높겠네."

담호가 놀라며 고개를 끄덕였다.

"맞아요. 오행보라고 했어요."

"그럴 테지. 그래, 그것과 네가 태극밀영십삼수를 배운 거와 무슨 상관이 있지?"

"아창이 정 숙부에게 오행보를 배운 다음에 다시 술래잡기를 했는데 제가 연거푸 놓쳤거든요. 다 잡았다 싶은 순간 꼭 미꾸라지처럼 빠져나가더라고요. 원래부터 발이 재빨랐는데 오행보를 배우고 나니까 정말 미꾸라지 같았어요."

"흠. 네 무공으로도 잡지 못했더냐?"

"내공을 사용하는 건 반칙이거든요."

담호는 머쓱한 표정을 지으며 덧붙여 말했다.

"그리고 무공도 사용하지 않기는 했어요."

"흐음."

담우천은 턱을 매만지며 다시 담창을 내려다보았다.

사실 담호의 무공에 대한 자질은 주변 여러 사람이 감탄하고 자신의 제자로 삼고 싶어 할 정도로 뛰어났다. 담우천 또한 내심 제법이라고 생각할 정도의 자질을 보여주었다.

반면 담창은 아직 어린 데다가 중구난방 뛰어다니기를 더 좋아했다. 형과는 달리 인내심과 집중력이 부족해서 뭘 가르쳐도 끝까지 해내는 게 없었다.

그런 담창이 불과 일이각 오행보를 배운 것만으로 담호
를 따돌리고 그의 손을 빠져나간다?

아무리 무공을 사용하지 않았다 하더라도 지금 담호의
순발력이나 탄력, 근력과 힘은 일반 어른들보다도 몇 배
는 뛰어나서, 어지간한 장한들도 결코 쉽게 그의 손을 빠
져나갈 수 없었다.

'진짜 봐준 게 아니라면…….'

담창에 대해 다시 생각해 봐야 하는 것인지도 모른다.

담우천이 문득 그런 생각을 할 때, 담호는 그의 눈치를
살피며 다시 입을 열었다.

"제가 몇 번이고 실패하는 걸 지켜보던 정 숙부께서 크
게 웃더니 '이번에는 네게 금나술을 가르쳐 주지'라고 말
씀하셨어요. '태극밀영십삼수라는 건데, 네게는 괜찮을
거다'라고 하시면서요."

'네게는 괜찮을 거다?'

담우천은 저도 모르게 담호의 말을 되뇌었다.

네게는 괜찮을 거다, 라니…….

묘한 의미가 담긴 말이다. 네가 익히기에 적합하다는
것인지, 네가 익혀도 별 탈이 없을 거라는 말인지 그 어
감(語感)을 쉽게 종잡을 수가 없었다.

담우천이 그렇게 곤혹스러워 하는 동안에도 담호의 말
은 계속 이어졌다.

"정 숙부께서 이해하기 쉽고 배우기 편하게 가르쳐 주셨어요. 덕분에 저 장난꾸러기를 쉽게 잡을 수 있었고요."

"정 숙부 나빠! 못됐어!"

장난꾸러기 담창은 여전히 아빠의 발에 매달린 채 웃는 낯으로 소리쳤다. 그 소리에 낯을 찌푸리던 담호가 문득 미소를 지으며 말을 이었다.

"사실 정 숙부는 계속해서 아창에게 태극밀영십삼수를 파훼할 수법을 가르쳐 주시려고 했거든요. 그런데 마침 강 숙부께서 부르신다는 연락을 받는 바람에 어쩔 수 없이 자리를 뜨셨어요."

"흠."

담우천은 잠시 뭔가 생각하다가 담창을 내려다보며 말했다.

"그럼 아빠가…… 허험, 아빠가 태극밀영십삼수를 파훼하는 수법을 가르쳐 줄까?"

담우천은 아빠, 라는 단어가 어색한 까닭에 저도 모르게 헛기침까지 해야만 했다.

"와아!"

담창이 눈을 빛내며 환호했다.

"좋아요! 당장 배울래요!"

"그럴까? 우리 아창이 얼마나 제대로 배우는지 한번 볼까, 그럼?"

담우천은 다리에서 담창을 떼어 내며 말했다.

"금불밀영십삼수라고 하는 수법이다. 부처도 잡을 정도로 대단한 금나술이지. 네 형이 익힌 태극밀영십삼수의 원조 격이라고도 할 수 있는 바, 그것보다 훨씬 더 위력이 강하고 빠르며 날카롭지. 어떠냐?"

"배울래! 배울래요!"

담창이 잔뜩 흥분하여 마구 소리칠 때였다. 대청 밖에서 목소리가 들려왔다.

"사천에 가셨던 마님들의 마차가 돌아오는 중이시랍니다. 강 장주께서 본각으로 오시라고 하셨습니다."

"그래? 곧 가겠다고 전하게."

"그리 전하겠습니다."

연락을 담당하는 무사의 기척이 사라졌다. 담우천은 담창에게 말했다.

"아무래도 너는 한동안 형에게 당하고 살아야 할 운명인가 보구나."

담창은 그게 무슨 뜻인지 이해하지 못한 듯했다.

하지만 이내 눈치 빠르게 담우천의 표정을 보고는 입을 삐죽였다.

"아빠도 나빠! 미워!"

담우천은 희미하게 웃으며 소화를 돌아보았다.

"오늘 밤 너와 회포를 풀려고 했는데 아쉽게 됐다."

소화의 얼굴이 살짝 붉어졌다. 그녀는 담우천처럼 희미하게 웃으며 고개를 외로 꼬았다. 그리고 낮은 목소리로 소곤거리듯 말했다.

"당신이 나빠. 미워."

담창의 흉내를 내며 그렇게 말하는 소화의 뒷덜미가 유난히 발그스름하게 달아오른 듯했다.


### 3. 죽일 수 있을 때

백노는 여전히 자신을 꽁꽁 옭아맨 그물에서 빠져나오려고 발버둥을 쳤다.

누군가 천천히 그에게로 다가왔지만 백노는 전혀 알아차리지 못했다.

그의 모든 신경과 정신은 온통 그물에 쏠려 있었고, 무엇보다 자신만의 세계에 빠져 있었기 때문에 현실에서 다가온 이들의 기척을 알아차릴 수가 없었던 것이다.

그렇게 백노에게 다가온 그들은 가볍게 백노의 수혈을 제압했고, 백노는 그대로 혼절하듯 잠들었다.


"따로 뇌옥(牢獄) 같은 게 없어서……."

백노를 외당 구석진 곳의 허름한 창고에 가둔 후, 강만리는 머쓱한 표정으로 말했다. 만해거사가 당연하다는 듯이 고개를 끄덕였다.

"일반 장원에 그런 게 있을 필요가 없겠지."

그렇게 맞장구를 친 만해거사는 그때까지 참고 있었던 질문 하나를 겨우 입에 올릴 수가 있었다.

"그런데 말일세. 야래향과 빙혼마고도 그 마차를 타고 오셨나?"

그의 사뭇 목소리 떨리는 질문에 유 노대가 저도 모르게 피식 웃었다.

양위는 영문을 몰라하며 진지하게 대답했다.

"아니요. 두 분 대부인께서는 사천당문에 계십니다. 석정 대협의 간호 등 그곳에서 아직 할 일들이 있으셔서요."

"아, 그래……?"

만해거사는 인상을 찌푸리며 투덜거리듯 중얼거렸다.

"정말 인연이 닿지 않나 보구나."

"인연이라니요?"

강만리가 묻자 만해거사는 황급히 손사래를 치며 화제를 바꿨다.

"아, 아무것도 아닐세. 그나저나 이 장원의 안주인들이 기다리실 터이니 서둘러 본각으로 가 보세."

"그래야죠."

강만리는 슬쩍 만해거사와 유 노대의 얼굴을 확인하고

는 본각 위정전으로 발길을 옮겼다.

이미 위정전 대청에는 많은 사람이 모여 있었다. 방금 사천당문에서 돌아온 화평장 안주인들은 아란, 소묘아들과 함께 모여 앉아서 수다를 떨고 있었다.

그녀들은 강만리 일행이 들어서자 대화를 멈추고 자리에서 일어났다. 그리고는 공손하게 허리를 숙이며 인사했다.

"무사히 잘 다녀왔습니다."

강만리는 저도 모르게 움찔거렸다. 이렇게까지 예의를 차리는 사람들이 아닌데, 하는 생각이 언뜻 그의 뇌리를 스쳤다. 동시에 자신의 뒤로 낯선 손님이 걸어 들어오고 있다는 사실도 떠올랐다.

'역시.'

지금 저 공손함은 강만리가 아닌, 이곳 화평장을 찾은 손님에게 보여 주는 공손함일 것이다.

"다들 자리에 앉읍시다."

강만리의 말에 따라 사람들이 자리에 앉았다. 강만리는 곧 만해거사를 소개했고, 또 만해거사에게 화평장의 안주인들을 소개했다.

만해거사의 표정이 미묘하게 변했다.

이미 이야기를 들어 알고는 있었지만, 그래도 이렇게 무당파 장문인의 여식과 사천당문과 북해빙궁의 여식을 직접 마주하게 되자 왠지 묘한 기분이 든 것이다.

'사내자식들은 다 정파와 관계없는 자들임에 반해 그 부인들은 대부분 명문 거대 정파의 여인들이라니…… 참 기묘한 일이로구나.'

만해거사는 속으로 그런 생각을 하면서 화평장의 안주인들과 수인사를 나눴다.

한 차례 인사가 끝난 후 잠시 그동안의 근황과 안부를 묻는 대화가 이어졌다. 물론 안주인들은 무엇보다 자신들의 아이에 대해서 궁금해했다.

"밥은 잘 먹었어요?"

"울지는 않았고요?"

"다른 아이들이랑 싸우지 않고 잘 놀던가요?"

쉴 새 없이 쏟아지는 질문의 홍수 속에서 사내들은 당황하여 강만리를 돌아보았다.

"우리는 그동안 밖에 나가 있어서…… 장원 내부의 일은 강 형님께서 도맡아 하셨거든."

장예추가 변명처럼 말하자 화군악이 얼른 맞장구를 쳤다.

"우리도 지금껏 철목가와 무적가를 상대로 싸우다가 오늘 아침에야 돌아왔습니다. 거기에다가 보고나 회의다 뭐다 하며 강 형님께서 붙잡는 바람에 아직 아이들도 만나지 못한 상황입니다."

'내가 언제 붙잡았다고…….'

강만리가 눈살을 찌푸릴 때였다. 담우천이 무덤덤하게 입을 열었다.

"아이들 모두 잘 지내고 있다 하더이다."

일순 사람들의 시선이 모두 그에게로 향했다. 담우천은 차분한 어조로 말을 이었다.

"아군은 처음 하루 이틀 정도 찡찡거렸지만 이내 오빠들과 잘 어울려 지내고 밥도 잘 먹는다고 했소. 늘 생글생글 웃으며 잠도 잘 잔다고 하오."

"아군이…….'"

아군, 화소군의 아버지인 화군악이 감동했다는 듯이 몸을 부르르 떨며 중얼거렸다.

반면 그의 아내 정소흔은 냉랭한 눈빛으로 화군악을 쏘아보았다. 제 딸의 소식을 남편이 아닌 사내로부터 듣게 된 못마땅함이 그녀의 시선에서 흘러나오고 있었다.

"아정은 너무 씩씩해서 탈이라고 하더이다. 자기보다 체구도 훨씬 크고 나이도 많은 우리 아창을 상대로도 전혀 지지 않는다는구려. 너무 힘이 넘쳐서 내 둘째 내자(內子)가 벅차할 정도로 잘 놀고 잘 먹는다더구려."

"어머나, 죄송해요."

예예가 사과했다. 담우천은 부드러운 어조로 말했다.

"아니, 사과하실 일은 아닙니다. 둘째 내자도 그리 말하면서 너무나 즐거운 표정을 지었으니까요."

"그럼 천만다행이네요."

예예가 안도의 한숨을 내쉬었다. 문득 나찰염요가 웃으며 물었다.

"우리 아이들은요?"

"아, 모두 잘 지내더군. 여전히 아창은 장난꾸러기이고 아호는 신중하고…… 보보도 잘 어울려서 놀았다고 그러더군."

"고마운 일이네요."

나찰염요가 방긋 미소 지었다.

'허어, 저 여인이 그 나찰염요라고?'

만해거사는 여전히 눈을 휘둥그레 뜬 채 나찰염요를 바라보았다.

나찰염요는 담우천과 마찬가지로 정사대전 당시 오대가문에서 사마외도의 고수들을 암살하고자 키운 사선행자 중 한 명이었다.

비록 정파 소속이라고는 하지만 그녀의 잔인한 행동이나 행각, 잔악한 성격은 다른 안주인들과는 달리 오히려 사마외도 쪽에 가깝다 할 수 있었다.

하지만 지금의 그녀는 당혜혜들과 무척 잘 어울려 보였다. 무엇보다 나찰염요의 전적을 떠올린다면 저렇게 포근하고 부드러우며 인자한, 그야말로 엄마의 미소를 지을 수 있다는 것 자체가 놀랍고 믿기지 않은 일이었다.

"어쨌든 이번에 둘째 언니에게 많은 폐를 끼쳤어요. 가서 진짜 고맙다고 인사해야겠네요."

예예는 그렇게 소화에 대해 고마움을 표시한 후 곧바로 화제를 돌렸다. 그리고 사천당문에서 있었던 일들에 대해서 상세하게 이야기했다.

대청에 모인 사람들은 말린 과일과 과자, 뜨거운 차와 함께 그녀의 이야기에 귀를 기울였다.

그들은 석정의 이야기를 들으면서 함께 슬퍼했으며 반드시 치유할 수 있기를 기원했다. 또 그들은 잔뜩 흥미진진한 얼굴로 빙혼마고와 당 사숙의 이야기를 들었다.

만해거사는 살짝 겁을 먹은 듯 조심스러운 어조로 묻기도 했다.

"우 소저까지 그 당 사숙이라는 자를 마음에 두시지는 않은 거겠지?"

단 그 한마디로 인해 대청의 모든 사람들은 만해거사가 야래향에 대해 어찌 생각하는지 단번에 알게 되었다. 또한 왜 만해거사가 범정산 심산유곡의 은거를 깨고 이렇게 화평장까지 오게 되었는지도 알 것 같았다.

예예가 웃으며 그를 안심시켰다.

"대부인께서는 따로 마음에 두신 분이 없으세요."

"다행이구려……."

만해거사가 한숨을 쉬듯 중얼거렸다. 사람들은 웃음을 참기 위해 애써 입술을 깨물었고, 몇몇 이들은 고개를 숙이거나 외로 꼬아야 했다.

예예가 웃으며 말했다.

"만약 이렇게 만해거사께서 오실 줄 알았다면 대부인께서 사천에 머무르지 않고 우리와 함께 돌아오셨을 거예요."

"그, 그녀…… 아니, 우 소저가 나를 기억이나 할지 모르겠구려."

"아뇨. 반드시 기억하고 계실 거예요. 워낙 기억력이 좋으신 분이시니까요."

예예는 힐끗 유 노대를 바라보며 말을 이었다.

"심지어 유 사부까지 기억하고 계셨으니까요."

유 노대가 이맛살을 찌푸리며 투덜거렸다.

"허어, 왜 불똥이 내게 튀누?"

만해거사는 조금 자신감이 붙었는지 어깨를 으쓱거리며 말했다.

"흠, 확실히 이 친구보다는 내가 더 우 소저와 가깝기는 했지. 아, 뭐 그렇다고 서로 마음에 두거나 그런 사이는 아니었고 그저, 단지 친구처럼…… 아니, 친구라고 하기에는 왠지 조금 더 가깝지만 그렇다고 마음에 둔 사이라고 하기에는 어딘지 모르게……."

그의 이야기가 길어지면서 횡설수설하게 되자, 유 노대가 손뼉을 치며 주위를 환기시켰다.

"자, 자. 대충 서로 보고는 끝난 것 같으니 다들 일어나 각자 거처로 돌아갑시다. 회포도 풀고 아이들도 보고 말이오. 마저 못한 이야기들은 내일 아침 식사 때 하기로 하고 말이오."

유 노대는 본보기처럼 자신이 먼저 자리에서 일어났다. 물론 만해거사의 팔을 붙잡으면서.

만해거사가 투덜거렸다.

"아직 듣고 싶은 이야기들이 많은데 왜 그리……."

"됐네. 다들 자네와 이야기하는 것보다는 제 남편들과 이야기하기를 원할 테니까."

유 노대는 뭉그적거리는 만해거사를 억지로 끌어내며 말했다.

"그럼 우리는 아까 중단했던 장원 구경이나 하러 가겠네. 아, 저녁은 별당에서 우리끼리 먹을 걸세."

그렇게 유 노대와 만해거사가 자리에서 일어나자 양위와 헌원중광 등 다른 이들도 하나둘씩 자리를 떴다.

"그럼 우리도 이만……."

담우천과 나찰염요도, 화군악과 정소흔도, 장예추와 당혜혜도, 심지어 설벽린과 아란도 짝을 지어 대청을 빠져나갔다.

"짝이 없는 건 나쁜인가?"

정유가 투덜거리며 일어설 때 양위도 어색하게 웃으며 따라 일어났다.

"저도 짝이 없습니다만……."

정유가 웃으며 말했다.

"그럼 짝 없는 남정네들끼리 우정이나 돈독하게 쌓죠, 우리."

그렇게 모든 사람이 자리를 떠나고 이제 대청에 남은 사람은 강만리와 예예뿐이었다.

차 한 모금을 마시며 오래간만의 정적을 즐기던 예예가 문득 강만리를 보며 말했다.

"철목가와 무적가를 양패구상시켰다고요? 정말 고생하셨어요."

"고생은 뭐 내가 했나? 다른 형제들이 더 고생했지."

강만리는 머쓱한 표정을 지으며 말했다.

"게다가 양패구상시켰다고는 하지만 가주들이 살아 있는 한, 결코 그들을 무너뜨린 건 아니니까. 죽일 수 있을 때 죽이는 게 최선인데……."

강만리는 찻잔을 쥐며 말을 맺었다.

"아쉽게도 아직 거기까지는 힘이 닿지 못하거든."

8장.
# 난 그대가 누구인지 알고 있자

동류(同流)에게서는 동류의 냄새가 나기 마련이었다.
사마외도의 그 음침하고 악랄하고 잔인한 기세에서 풍기는 사악한 냄새와
이미 몸에 인이 박여서 씻어도 씻어도 지워지지 않는 피비린내.

## 1. 청노

허 노야는 부들부들 떨고 있었다.

한때는 마교 이후 가장 신도가 많았던 유령교에서도 다섯 손가락 안에 들어가는 서열을 자랑하던 그였다. 그저 유명무실한 직책이 아닌, 실질적인 권위와 권능과 권력을 지닌 봉공이었다.

유령교가 괴멸된 후, 남은 수하들을 끌어모아 재기의 발판을 만든 것도 바로 그였다. 오대가문과 태극천맹을 무너뜨리기 위해서 황계와 연계한 것도 그였다. 십삼매가 초안을 잡은 〈무림오적〉의 계획을 완성한 것도 그였다.

즉, 유령교의 교주도, 부교주도, 소교주도 아닌 바로 봉공 허신방이 그 모든 일을 계획하고 주재하고 진행시켜서 오늘날에 이르게 만들었던 것이다.

소공자에게 온갖 영약과 환단을 복용시키고 또한 전대 노마들을 보내 무공을 가르치게 한 것 역시 그가 아니던가.

그런 공로를 치하해 주지는 못할망정 조금 늦게 마중 나왔다고 해서, 맨발로 달려 나오지 않았다고 해서 이런 수모를 겪어야 한다니!

억울하고 분하고 원통해서 손발이 부들부들 떨리고 숨조차 제대로 쉴 수가 없었다.

하기야 그게 아니더라도 오체복지(五體伏地)한 상태에서 누군가의 발이 뒷덜미를 누르고 있다면, 확실히 숨을 제대로 쉴 수 없을 것이다.

"반성하고는 있는 거야?"

바짝 엎드린 허 노야의 뒷덜미에 턱! 하니 발을 올려둔 '누군가가' 그렇게 물어왔다.

허 노야는 이를 악물었다.

'은혜를 원수로 갚는다고 했던가. 배은망덕(背恩忘德)도 유분수지, 다른 사람은 몰라도 최소한 내게는 이러면 안 되는 게다. 내가 어떻게 키웠는데, 어떻게 구천십지백사백마들을 설득하고 회유하고 협박해서 그곳으로 보냈

는데, 그 노력과 정성과 희생을 생각한다면 결코 이렇게 날 대접해서는 안 되는 일이다!'

허 노야가 그렇게 내심 절규하는 동안 그 '누군가'는 한 숨을 쉬며 고개를 설레설레 흔들었다.

"아직도 뭘 잘못했는지 모르고 있는 거야?"

허 노야의 뒷덜미를 밟고 있는 발에 힘이 실렸다. 허 노야는 개구리처럼 납작 엎드려야 했다. 숨을 쉴 수가 없었다. 목뼈가 당장에라도 으스러질 것만 같았다.

'누군가'는 계속해서 말을 이어 나갔다.

"정말이지, 나 지금 엄청나게 참고 있는 거라고. 청노에게 물어봐 봐. 다른 사람 같았으면 벌써 죽여도 몇 번이나 죽였다고. 그래도 허 영감이니까 내가 이렇게 참고 있는 거라고."

조금 떨어진 곳에서 허리를 숙이고 있던 흑의노인(黑衣老人)이 얼른 말을 받았다.

"소야 말씀이 맞습니다. 지금껏 소야의 심기를 건드리고 이렇게 오랫동안 살아남은 이는 오직 허 봉공뿐입니다."

그랬다.

지금 허 봉공의 뒷덜미를 지그시 밟고 있는 '누군가'는 한 때 소공자로 불리다가, 이제는 소야라는 이름으로 불리는 위천옥이었다.

반 시진 전, 위천옥은 유령교의 안가로 들어서면서부터 기분이 상했다.

문을 열고 자신을 맞이한 자가 허 노야가 아닌 일개 문지기였다는 사실이 그를 언짢게 만들었다. 거기에다가 "허 봉공께 바로 연락을 취하겠습니다."라는 문지기의 말이 더욱 그의 심사를 거슬리게 했다.

"허어, 참으로 고약한 늙은이네. 내가 온다는 걸 알면서도 기다리지 않고 있었던 거야?"

위천옥이 웃으며 묻자 늙은 문지기도 웃으며 대답했다.

"요즘 성도부에 비상이 걸렸거든요. 그래서 안전한 곳에 피신해 계시는 참이라⋯⋯."

"안전한 곳? 그렇다면 여긴 안전하지 않은 곳이야?"

"아, 그런 뜻이 아니라⋯⋯."

늙은 문지기는 웃으면서 유령교의 안가가 여러 곳이 있는데 허 봉공은 그중 한 곳에 숨어 있는 것이지, 꼭 그곳이 이곳보다 안전하다고는 할 수가 없다는 이야기를 하려고 했다.

하지만 그는 더 이상 말을 할 수가 없었다. 위천옥은 웃으며 말하던 늙은 문지기의 정수리를 가볍게 내려쳤고, 단 그 한 주먹에 의해 늙은 문지기의 정수리는 잘 익은 수박처럼 퍽! 소리를 내며 산산이 부서졌다.

늙은 문지기는 자신이 어떻게, 그리고 왜 죽는지도 모른 채 그렇게 목숨을 잃었다.

혹노가 저도 모르게 한숨을 쉬었다.

"한숨을 쉬어?"

위천옥이 그를 돌아보며 묻자, 청노는 고개를 숙이며 대답했다.

"감히 제 분수도 모르고 소야 앞에서 함부로 웃는 불경죄를 저지른 저 늙은 문지기가 어이가 없어 한숨을 쉬고 말았습니다."

위천옥이 그제야 장난스럽게 웃었다.

"그렇지? 청노 생각도 그렇지? 참 버르장머리들이 없다니까. 오래 살았다고 해서 다들 똑똑해지거나 노회한 건 아닌 것 같아."

"그렇습니다. 또한 이렇게 길을 안내하는 자가 죽었으니 누구에게 길을 안내받아야 하나, 하는 마음에 저절로 한숨이 나왔습니다."

"그깟 길 안내, 그냥 계속해서 걸어가면 되는 거 아냐?"

위천옥은 턱으로 복도를 가리키며 물었다.

대문 밖에서 본 허름하고 작은 외관과는 어울리지 않게 본청(本廳)으로 이어지는 복도의 끝이 보이지 않을 정도로 길게 나 있었다.

청노는 여전히 무미건조한 어조로 대답했다.

"잠시 잊고 계신 것 같습니다만 이곳에는 진식이 펼쳐져 있습니다. 안내자가 죽었으니 새로운 이가 나타날 때까지 예서 머물러 기다리셔야 할 것 같습니다."

"진식? 아, 아. 그래, 알고 있었어. 잠시 잊었을 뿐이지."

위천옥은 살짝 당황하며 말했다.

"청노는 이 진식을 파훼하지 못해?"

"아쉽게도 유령교의 진식은 오로지 유령교 사람들만이 파훼할 수 있습니다."

"그럼 박살을 내고 가지 뭐."

위천옥은 어깨를 으쓱거리며 말했다.

"진식이라는 게 아무리 대단하다고 해도 모든 기물을 송두리째 박살 내면 아무 소용없잖아?"

"물론 그것도 일리가 있는 말씀입니다만…… 그렇게 일을 크게 벌이실 요량이시라면 굳이 우리가 이렇게 유령교의 안가로 몰래 숨어 들어올 이유가 하나도 없게 됩니다."

"흠."

마땅히 대꾸할 말을 찾지 못한 위천옥은 못마땅한 눈으로 청노를 노려보며 말했다.

"너 참 말하는 게 기분 나쁘다."

청노는 여전히 무미건조하게 대답했다.

"입을 다물라 하시면 다물겠습니다."

"이걸 진짜……."

위천옥은 주먹을 높이 들었다. 청노는 허리를 숙인 채 부동자세로 서 있었다. 위천옥은 몇 번이고 때릴까 하다가 결국 호흡을 가다듬으며 손을 내렸다.

"그래, 나는 아랫사람의 충언(忠言)과 직언(直言)을 담대하게 받아들일 줄 아니까."

"역시 소야이십니다. 제 무례를 용서해 주셔서 감사합니다."

청노는 전혀 감사해하지 않는 투로 그렇게 말했다. 위천옥은 "쳇!" 하며 혀를 차고는 짜증 내듯 물었다.

"그럼 언제까지 여기 이대로 있어야 한단 말이냐?"

청노가 대답했다.

"새로운 안내자가 나타날 때까지는 한 걸음도 움직이지 않는 게 좋을 것 같습니다."

"쳇!"

위천옥은 다시 혀를 차며 새로운 안내자가 오기를 기다렸다. 그렇게 반 시진 가량이 흐른 뒤에야 대문이 끼이익! 소리를 내며 열렸다. 연락을 받은 허 노야가 수하 두 명을 데리고 허둥지둥 복도로 들어섰다.

위천옥과 청노가 여전히 복도 한가운데 우뚝 버티고 서 있는 걸 본 허 노야의 눈이 일순 휘둥그레졌다.

"아니, 왜 여기 있습니까? 안으로 들어가지 않고."

그게 허 노야가 이렇게 오체복지한 채로 위천옥의 발밑에 깔리게 된 일의 전말이었다.

결국 허 노야는 손이 발이 되도록 빌고 사과했다. 속마음이야 어쨌든 지금 위천옥은 어디까지나 허 노야가 모셔야 하는 존재였던 것이다.

위천옥도 허 노야를 죽일 생각까지는 없었다. 자신이 이렇게 성장하기까지 가장 큰 공로를 세운 게 허 노야라는 건 그 또한 잘 알고 있었으니까.

어린 시절 위천옥의 손을 꼭 잡고 말했던 허 노야의 말을 아직도 제대로 기억하고 있으니까.

"도련님, 도련님이 다시 이 늙은이 앞에 모습을 드러내실 때, 그때 이 늙은이가 도련님을 천하의 주인으로 모시겠습니다. 그러니 그곳에서 끝까지 버티고 살아남으십시오."

허 노야는 눈물까지 글썽거리며 그렇게 말했다. 위천옥에게 있어서 허 노야의 그 눈물과 그 충정 어린 목소리만큼은 그의 가슴에 낙인처럼 새겨져 지워지지 않았다.

그래서 위천옥은 허 노야의 사과와 반성에 마지못한 듯 발을 거둬들였다. 허 노야는 옷을 털지도 않은 채 자리에서 일어나 낮은 목소리로 말했다.

"그럼 본청으로 안내해 드리겠습니다. 식사도 하셔야 겠죠?"

위천옥은 당연하다는 듯이 대꾸했다.

"그래야지. 아, 혈노와 백노도 올 테니까 그들 몫까지 챙겨 줘."

"알겠습니다."

허 노야는 앞장서서 복도를 걷기 시작했다. 끝이 보이지 않을 정도로 길게 뻗어 있던 복도는 불과 열 걸음도 못가서 본청으로 이어졌다.

위천옥은 짜증스럽다는 얼굴로 중얼거렸다.

"진식이라니, 확실히 실력이 부족한 작자들이 어떻게든 그걸 메워 보려고 꾸미는 수작에 불과해."

"맞는 말씀이십니다. 그래서 소야께는 진식에 대해 가르쳐 드리지 않았죠."

그렇게 대답하며 고개를 조아리는 청노를 보면서 위천옥은 아무래도 그 정수리를 한 대 때려야 제 속이 시원하겠다고 생각했다.


## 2. 백노


'빌어먹을! 진식이었다니…….'

백노는 이를 악물었다.

수치심과 모멸감이 그의 뇌리를 휘감았다.

'겨우 진식 따위에 당하다니!'

소리를 지를 수만 있었다면 사자후(獅子吼)보다 더 울분에 찬 고함을 내질렀을 것이다.

자고로 무림인들이 사용하기 부끄러워하고 수치스럽다고 생각하는 게 세 가지가 있었다.

그중 하나는 암기(暗器)였다. 일반적인 강호 무림인들은 암기를 살수(殺手)나 비겁자들이 사용하는 거라고 폄훼했다. 또한 제대로 실력을 쌓은 자라면 결코 암기 따위에 당하지 않아야 한다고 생각했다.

두 번째는 독(毒)이었다.

사실 무공을 전혀 모르는 자가 천하제일인을 암살할 수 있는 게 바로 용독(用毒)이었다. 그만큼 엄청난 위력과 살상력을 지닌 게 독이었으며, 그런 이유로 모든 무림인들이 늘 독을 경계하고 의심하며 생활했다. 그런 만큼 독을 사용하는 이들은 만인의 적(敵)이라 할 수 있었다.

마지막 세 번째가 진식이었다.

일반적으로 평생 동안 단 한 번도 진식을 접하지 못한 채 죽는 게 대부분의 무림인이었다. 진식은 술사(術士)들이나 가지고 노는 거라는 인식이 컸으며, 강호무림에서는 거의 통용되지 못한다는 게 정설처럼 여겨졌다.

사실 진식을 와해하는 건 간단했다. 가장 간단한 방법은 진식이 펼쳐진 곳으로 가지 않으면 되는 것이다. 아니면 힘으로 정면 돌파, 부수고 박살 내고 무너뜨리면 된다.

정신을 현혹하고 이성을 마비시키는 진식은 올곧은 정심(頂心)으로 파훼할 수 있고, 사방을 가로막거나 온갖 괴물들이 튀어나오는 진식은 그보다 더 강력한 무공과 힘으로 부숴 나갈 수 있었다.

결국 진식이라는 건 수비적이고 방어적일 수밖에 없었고, 선공(先攻)을 중시하고 일대 일의 싸움에 특화된 무림인들에게 있어서는 별다른 소용이 없는 술법이라 할 수 있었다.

혹자(或者)는 그래서 사천당문이 결코 정파의 가문이 될 수 없다고 주장하기도 했다.

강호인들이 부끄러워하거나 싫어하거나 혹은 증오하는 것들 세 가지, 독과 암기 그리고 진식까지 모두를 익히고 수련하는 문파가 바로 사천당문이었으니까.

만약 사천당문이 독에 능한 만큼 해독술과 의약에 능하지 않았더라면, 또 일당백의 암기술과 모든 무림인들이 두려워하는 용독술(用毒術)을 지니지 않았더라면 아마도 수백 년 전에 무림의 공적이 되어 이미 멸문(滅門)했을 것이다.

'빌어먹을!'

백노는 다시 한번 속으로 욕설을 퍼부었다.

'진식인 줄 알았더라면 이렇게 간단하게 사로잡히지 않았을 것이다! 아니, 애당초 이런 골목길에 어느 누가 진식이 설치되어 있을 거라고 생각하겠느냐?'

백노는 그렇게 한참을 혼자서 씩씩거리고 나자 조금 마음이 가라앉았는지 그제야 주변을 살필 여유가 생겼고, 또 이런 골목길에 진식을 설치한 자들이 누구인지, 무슨 이유로 설치했는지에 대한 호기심과 궁금증이 피어올랐다.

먼저 눈동자를 굴려 주변을 둘러보니 평범한 창고 같았다. 지하 감옥의 냉기도 없었고, 퀴퀴하고 끈적거리는 냄새도 나지 않았다. 피 냄새도, 핏자국도 전혀 없었다.

백노는 그 평범한 창고 구석진 곳에 누워 있었다. 줄이나 쇠사슬로 그를 구속한 건 아니었다. 오로지 점혈 하나만으로 백노는 한 치도 움직일 수 없었다. 그저 눈동자를 굴리는 것 이외에는 입을 열 수도, 손가락을 꿈틀거리거나 발가락을 꼼지락거릴 수조차 없었다.

백노의 표정이 진지하고 침착해졌다. 흥분이 가라앉고 이성을 회복한 그의 머릿속이 빠르게 움직이기 시작했다.

'마혈(麻穴)과 아혈(啞穴)이라. 먼저 그것부터 해혈(解

穴)하는 게 순서이겠지.'

점혈(點穴)은 경락이나 근맥의 혈도를 제압하여 행동에 제약을 가하거나 심신에 고통을 주는 수법을 가리킨다.

적어도 수십 년 내공이 있어야만 가능한 수법이기도 하며, 또 문파마다 조금씩 점혈하는 수법이 달라서 그 순서를 모른 채 함부로 해혈하려 들다가는 불구가 되거나 심지어 죽기도 한다.

그러나 백노는 전혀 개의치 않고 해혈법을 시전했다.

그의 해혈법은 매우 특이했다.

경맥과 락맥 곳곳에 남아 있던 미미한 내기(內氣)들을 한데 모아서 운기조식을 할 수 있을 정도의 분량이 되도록 했다.

그렇게 모은 내기를 가지고 천천히 기맥을 따라 움직여 나가면서 막힌 혈도를 뚫고 닫힌 경락을 열게 하는 것이 바로 그의 해혈법이었다.

백노의 내기는 아주 느릿하게 기맥을 따라 움직이며 막힌 혈도와 닫힌 경락을 찾기 시작했다.

사람의 몸에는 수백 개의 혈도가 있고 마혈만 하더라도 최소한 아홉 개 이상의 혈도가 존재했다.

그뿐이 아니었다. 마혈이 아닌 일반 혈도라 하더라도, 제대로 된 순서에 따라 몇 개의 혈도를 제압한다면 마혈을 짚은 것과 같은 증상을 만들어 낼 수가 있었다. 바로 그것이 진정한 의미의 점혈법이기도 했다.

어느 부분의 혈도를 제압당했는지 모르는 이상 백노는 정수리부터 발끝까지 기맥을 따라 일주천(一週天)을 하면서 점혈당한 혈도를 찾아내야 했다.

얼마나 시간이 흘렀을까.

백노의 눈빛이 살짝 빛났다.

'아문혈(瘂門穴)을 점혈당했었군.'

아문혈은 아홉 개의 아혈 중 가장 대표적인 아혈로, 심하게 짚으면 평생 말을 할 수 없게 되는 혈도였다.

백노는 서두르지 않았다. 억지로 해혈하려고도 하지 않았다. 그저 부드럽게 내기를 운용하면서 막힌 아문혈을 어루만지고 쓰다듬으며 조금씩 열리도록 노력했다. 그리고 그의 노력은 충분한 성과를 얻어 냈다.

"됐다."

이윽고 백노는 한숨처럼 한 마디를 내뱉었다. 마비된 채 딱딱하게 굳어 있었던 혀를 요리조리 날름거렸다. 아직도 자신의 혀가 아닌 것만 같았다.

"이제 어느 마혈인지 찾아야겠구나."

백노는 다시 정신을 집중했다.

하지만 기이하게도 제압당한 마혈을 쉽게 찾을 수가 없었다. 일주천을 하고 이주천을 하는데도 평범하게 막혀 있는 마혈이 존재하지 않았다.

'역시 만만치 않은 놈들이로구나.'

백노는 다시 한번 놈들의 정체에 대해 의구심을 가졌다.

'마혈을 짚은 솜씨를 보건대 결코 평범한 무인들이 아니다. 신분을 감추고 은밀하게 행동하는 자들만이 지닌 점혈법이다.'

점혈법은 각 문파마다 서로 다른 고유의 특징이 있다고 했다. 그래서 어떤 식으로 점혈했는지는 보면 그 시전자의 문파까지 추측할 수 있었다.

가령 그나마 위험도가 낮은 비노혈(臂臑穴)이나 곡지혈(曲池穴) 같은 마혈을 검지와 중지를 이용하여 세 푼의 힘으로 셋을 헤아릴 정도의 시간 동안 짚어서 제압하는 방식은 확실히 소림사의 점혈법이었다.

또 같은 곡지혈이라 하더라도 닷 푼의 힘으로 검지와 중지를 이용하여 깊고 빠르게 점혈하는 방식은 무당파의 점혈법이었다.

그래서 신분을 감춰야만 하는 집단에서는 아주 평범하거나 아니면 매우 희귀하고 특이한 방식의 점혈법을 사용하기도 한다.

지금 백노가 당한 점혈법은 후자의 방식이었고, 그렇다면 이곳에 진식을 설치하고 백노를 납치한 자들은 신분을 감춘 살수 조직일 가능성이 없지 않았다.

'은자림? 대자객교? 아니면 살막의 지부?'

살수 조직이 아니라면 정보를 사고파는 조직일 수도 있었다. 그들 또한 자신들이 세상 밖으로 드러나는 것에 대해 매우 조심하고 경계하는 자들이었으니까.

'먼저 마차를 몰던 녀석을 생각해 보자. 제법 상당한 실력자로 보이기는 했지만 그래도 결코 사마외도의 냄새는 나지 않았다.'

동류(同流)에게서는 동류의 냄새가 나기 마련이었다. 사마외도의 그 음침하고 악랄하고 잔인한 기세에서 풍기는 사악한 냄새와 이미 몸에 인이 박여서 씻어도 씻어도 지워지지 않는 피비린내.

마부에게서는 그 냄새들이 나지 않았다.

"사마외도의 조직이 아니라면 도대체 어느 방면의 집단이란 말인가?"

백노는 홀로 중얼거리다가 문득 표정을 바꾸며 얼른 입을 다물었다. 그가 알아차린 기척대로 얼마 지나지 않아 창고의 문이 열리고 세 명이 안으로 걸어 들어왔다.

'세 명이었더냐?'

백노는 저도 모르게 마른침을 꿀꺽 삼켰다. 그의 얼굴에 긴장과 당황함의 표정이 거미줄처럼 쳐졌다.

조금 전 백노는 이곳 창고로 다가오는 기척에 황급히 입을 다물었다.

하지만 그가 알아차린 인기척은 세 개가 아니라 두 개
뿐이었다. 그것도 바로 직전 문이 열리고 세 명의 사내가
창고 안으로 들어서는 바로 그 순간까지, 백노는 오직 두
개의 인기척만 인지하고 있었던 것이다.

'초절정 고수가 있다!'

자신의 능력으로도 감히 인지하지 못할 정도의 엄청난
고수. 어쩌면 소야만큼 강할지도 모르는 초절정의 고수
가 저 세 명의 사내들 중에 있는 것이다.

백노의 가슴이 두근거리기 시작했다.


### 3. 질문 하나에 대답 하나

세 명의 사내는 창고 한쪽에 쌓여 있는 상자들을 꺼내
와서 백노 앞에 내려놓더니 거기에 걸터앉았다. 백노는
눈동자를 이리저리 굴려서 사내들의 면면을 확인했다.

세 명 모두 삼사십 대의 장한들이었는데 그중 한 명의
기척은 낯익었다. 얼굴은 확실하지 않지만 그에게서 풍
기는 기운과 흘러나오는 냄새만큼은 잊을 수가 없었다.

'마부로군.'

백노가 예까지 쫓아온 자였다. 어찌 잊을 수 있겠는가.
백노는 내심 생각했다.

'애초에 일개 마부가 아닐 거라고는 생각했지만…… 이 집단에서 나름대로의 직책을 맡고 있나 보구나. 딱 봐도 우두머리처럼 생긴 놈들하고 함께 온 걸 보니.'

나머지 두 장한 중 한 명은 그야말로 멧돼지 같은 인상의 사내였다.

크고 단단한 근육을 적당한 지방질로 뒤덮고 있는, 그래서 언뜻 보면 평범한 뚱보처럼 보일 수도 있는 체구. 그러나 백노는 그 체구에 갇혀 있는 완강한 힘과 엄청난 내공을 느낄 수가 있었다.

마지막 한 명의 냄새를 맡으려던 백노의 안색이 급변했다.

'이자다!'

백노의 가슴이 쿵쾅거렸다.

마지막 사내. 무뚝뚝하고 냉정한 인상의 사내. 놀랍게도 그 사내의 체취는 무색무취무미(無色無臭無味)였다. 그에게서는 아무런 기세도, 기운도 느낄 수가 없었다.

바람과 같은 자, 그곳에 있되 존재하지 않는 자, 그리고 백노가 전혀 기척을 알아차리지 못한 초절정의 고수.

"호오."

그 고수가 입을 열었다.

"직접 아혈을 푼 모양이군그래."

의외라는 듯이 말을 하지만, 한 점 흔들림도 없는 무미건조한 목소리가 그의 입에서 흘러나왔다. 그러자 멧돼지 같은 사내가 머쓱한 듯 엉덩이를 긁적이며 말을 받았다.

"점혈법에 대해서 좀 더 공부해야 할 것 같군요. 이렇게 간단하게 풀릴 줄이야."

"아니, 아우님의 점혈은 이미 상당한 경지에 올라 있네. 이 노인조차도 자네가 점혈한 마혈을 풀지 못한 걸 보면 말일세."

"예전에 둘째 대부인께 조금 배웠거든요. 알고 보니 둘째 대부인께서 점혈술과 조공(爪功)의 대가(大家)이셨더라고요."

두 사내의 대화를 듣던 백노의 눈빛이 꿈틀거렸다.

'점혈술과 조공의 대가? 둘째 대부인?'

이 사내들이 대부인이라고 부르는 것으로 보아 최소한 쉰 살 이상, 예순 살 어림의 여인일 것이다. 그 나이 또래에서 점혈술과 조공의 대가라고 할 만한 사람이 과연 몇이나 될까.

백노는 자신이 알고 있는, 혹은 들어 본 적이 있는 전대(前代)의 여고수들을 모두 떠올려 보았다. 정파의 여협(女俠)들은 물론 사마외도의 여마(女魔)들까지 하나하나 머릿속에 그렸다가 지워 나갔다.

그러는 동안에도 사내들의 대화는 계속 이어졌다.

"사실 둘째 대부인께서는 내가 익히기에 너무 음유(陰

柔)하다고 거절하셨는데 억지로 부탁을 드렸거든요."

"하기야 아우님처럼 극양(極陽)의 기운을 지닌 내공의 소유자라면 그녀의 점혈술이 가진 특징을 온전하게 재현하지 못할 것 같군."

"안 그래도 그게 걱정입니다. 괜히 부족한 내 실력 때문에 둘째 대부인의 무공마저 폄훼당할 수도 있으니까요."

"흠, 나중에 내가 조금 도와주겠네."

"아이구, 그러면 정말 감사하죠."

멧돼지처럼 생긴 사내가 활짝 웃었다. 그때 마부가 헛기침을 하며 화제를 백노에게로 돌렸다.

"그나저나 이 노인이 왜 우리 마차를 쫓아왔을까요?"

"그야 양 당주가 직접 물어보면 되겠지."

백노가 움찔거렸다.

'마부가 아니라 당주였구나. 흠, 당주가 직접 마차를 몰 정도라면…… 가만있자, 마차에 타고 있던 사람들이 모두 여인들이었지?'

마차 안을 들여다보지 않더라도 한 식경 이상 마차 꽁무니에 붙어 쫓아다니다 보면 충분히 알 수 있었다.

그 안에 누가 타고 있는지 몇 명인지, 고수인지, 하수인지 등등의 정보들이 흘러나오는 기운이나 냄새나 기척을 통해서 전달되는 것이다.

당시 그렇게 해서 백노가 알게 된 사실들은 마차에 타고 있던 이들이 모두 네 명의 여인들이었으며, 그것도 하나같이 무공이 상당한 수준에 오른 강호의 여인들이라는 점이었다.

　그중 희한하고 기이한 사실은 그 네 명의 여인 중에서 최소한 한 명에게서 자신과 비슷한 동류의 냄새가 풍겨 나온다는 것이었다.

　'그래서 어쩌면 자신의 신분과 정체, 목적을 숨긴 채 다른 여인들과 어울리는 게 아닐까 하고 생각했었는데……'

　지금 보니 아무래도 그때의 생각이 틀렸던 모양이다. 저 감당할 수 없을 정도의 고수에게서 뿜어져 나오는 기세와 기운은 확실히 자신과 동류의 성질이었던 것이다.

　'지금 생각해 보면 그 네 명의 여인들은 이곳 장원의 안주인, 혹은 그에 버금가는 지위의 여인들이었을 것이다. 그 사마외도의 기운을 내포한 여인은 이 가공할 기도를 지닌 자의 아내나 혹은 친한 지인일 것이고…… 다른 세 명의 여인들은 저 멧돼지 같은 자의 아내들이겠지.'

　그렇지 않고서야 당주라 불리는 이가 직접 마부석에 앉아 마차를 몰 리가 없을 테니까.

　백노가 그렇게 절반은 맞고, 절반가량은 틀린 추측을 할 때였다.

　양 당주라 불린 사내가 직접 백노에게 질문을 던져 왔다.

"단도직입적으로 묻지. 왜 우리 마차를 쫓아온 거지?"

묵직하면서도 사내다움이 물씬 풍기는 목소리였다. 단지 그 목소리만으로도 이 사내의 성정(性情)이 어떤지 충분히 알 것 같았다.

'충직하고 매사에 진지하며 거짓보다는 정직을 선호하는 여느 평범한 정파 소속의 인물 같군그래.'

백노는 굳게 입을 다문 채 양 당주의 성정에 대해서 혼자 분석했다. 양 당주의 짙은 눈썹이 꿈틀거렸다.

"아혈이 풀린 걸 알고 있다. 괜히 고집 피우지 말고 좋은 말로 할 때 순순히 말하도록 하라!"

'흠. 제대로 고문다운 고문 한번 못해 본 작자로구나. 이 정도 위협으로 사람 입을 열 수 있다고 생각한다면…… 정말 순수한 건지, 어리석은 건지 알 수가 없네.'

"아무래도 말로 하면 안 될 것 같습니다."

양 당주는 다른 두 사내를 돌아보며 진지한 어조로 말했다.

"고문이라도 해야 비로소 입이 열릴 것 같습니다. 허락만 해 주신다면 제가 직접……."

"아니다."

무뚝뚝한 사내가 양 당주의 말을 잘랐다.

"이건 내게 맡기도록 해."

사내는 그렇게 말하며 자리에서 일어났다.

꿀꺽.

저도 모르게 백노는 크게 마른침을 삼켰다. 일순 낭패
라는 생각이 백노의 머릿속에 떠올랐다.

분명 저 사내들에게 자신의 목젖이 꿈틀거리는 모습이
보였을 것이다. 즉, 자신이 긴장하고 두려워한다는 사실
을 눈치챘을 것이라는 생각이 든 것이다.

사내는 천천히 다가와 백노의 머리맡에 쭈그려 앉았
다. 그리고는 나지막한 목소리로 속삭이듯 말했다.

"난 그대가 누구인지 알고 있지."

백노는 눈동자만 굴려 사내의 얼굴을 올려다보았다. 낯
선 얼굴이었다. 한 번이라도 마주친 적이 없는 얼굴이었
다. 게다가 이 정도 실력자라면 어깨만 스치고 지나갔어
도 절대 잊지 않았을 것이다.

'거짓말.'

괜히 넘겨짚는 게다. 허세를 부리는 거다. 도박에서 나
쁜 패를 가지고 좋은 패를 이겨 먹을 때처럼 허장성세(虛
張聲勢)를 부리는 거다.

백노는 쿵쾅거리는 심장을 애써 달래며 태연한 눈빛으
로 사내를 올려다보았다.

"거짓말이라고 생각하는군."

사내가 다시 입을 열었다. 감정이 실리지 않는 나지막
한 목소리가 권태롭게 흘러나왔다.

"하지만 확실히 나는 그대를 알고 있지, 백염살귀."

일순 백노의 심지가 크게 흔들렸다. 태연함을 가장하던 그의 눈빛이 파르르 떨렸으며 무표정하던 그의 표정에 변화가 생겼다. 그리고 저도 모르게 입을 벌려 물었다.

"네, 네놈은 누구냐?"

사내는 잔뜩 흥분한 백노와는 달리 여전히 차분하고 냉정한 어조로 말했다.

"우리는 그대들이 어디에 숨었든 반드시 찾아내서 죽인다고 맹세했다. 그건 백사백마(百邪百魔)라는 이름이 생기기 전의 맹세였고, 또 우리들의 신조(信條)였지."

가만히 듣고 있던 백노의 눈빛이 부들부들 떨렸다. 그의 얼굴이 추악하게 일그러졌다. 안색은 새파랗게 질렸고, 심지어 눈물까지 글썽거리기 시작했다.

사내는 그 백노의 변화를 무심한 눈빛으로 지켜보면서 계속해서 낮은 목소리로 말을 이어 나갔다.

"암습을 하든, 기습을 하든, 함정에 빠뜨리든, 협공을 하든 뭘 하든 간에 반드시 그대들을 죽인다고 맹세했고, 또 실제로 그렇게 행동했었지. 그게 우리가 살아가는 이유이자, 우리가 존재하는 까닭이었으니까."

"사……."

백노가 부들부들 떨며 입을 벌렸다.

"사선행자."

회색빛 목소리가 휘청거리며 흘러나왔다. 사내는 천천히 고개를 끄덕이며 대꾸했다.

"그래, 사선행자. 그중에서도 수좌를 맡고 있는 몸이네."

"사, 사선행수?"

사내는 창고에 들어선 후 처음으로 웃었다. 입꼬리가 살짝 치켜 올라가는 웃음. 마치 잘 벼린 칼날로 보기 좋게 그어서 만들어 낸 듯한 미소.

반면 백노의 눈가에는 공포의 그림자가 스며들었다. 견딜 수 없는 압박감과 인내할 수 없는 두려움의 무게가 고스란히 그의 눈동자 위에 내려앉았다.

'사, 사선행수라니…….'

백노는 마치 지옥의 염라대왕이라도 만난 양 충격에 휩싸였다.

사선행자, 사선행수.

과거 정사대전 당시 그들에게 목숨을 잃은 사마외도의 고수들이 얼마나 되던지.

이른바 공적십이마와 비견될 정도의 실력과 명망을 지닌 거웅효마들조차 그들의 기습과 함정, 합공에 의해 목숨을 잃고 말았고, 그리하여 결국 사마외도의 승리가 예상되던 형국 자체가 뒤엎어질 정도로 놈들의 활약은 지대했다.

사마외도는 물론 백도정파의 인물들에게조차 경원과 공포와 두려움의 대상이 된 자들.

하지만 정사대전이 끝난 후 그들을 두려워한 정파의 수뇌부들에 의해 결국 토사구팽(兎死狗烹)이 되었고, 이제는 전설처럼 그 이름만 남아서 떠도는 유령이 된 자들. 그게 사선행자였고, 사선행수였다.

"사, 사선행수라니…… 믿을 수 없다."

백노가 이렇게 두려워하는 이유는 또 있었다.

사선행자들이 주는 공포의 이름 뒤에는 악랄하고 잔인하기 그지없는 사마외도조차 눈을 돌리고 구토할 정도의 고문 실력도 있었던 것이다.

한 번 잡히면 원하는 모든 것을 토해 내야만 비로소 죽을 수 있다는 사선행자들의 고문. 그래서 사선행자들에게 잡힐 바에야 차라리 혀를 끊거나 천령개를 내리쳐서 죽는 게 낫다는 이야기가 떠돌았을 정도였으니.

"이것으로 서로 소개가 끝났으니 이제 본론으로 들어가지, 백염살귀."

사내는 무미건조한 목소리로 말했다.

"질문 하나에 대답 하나. 이왕이면 서로 귀찮아지지 말고 편히 죽는 게 나을 거다."

백노의 동공(瞳孔)이 새하얗게 질려 갔다.

9장.
# 지금은 전쟁 중이다

'무림의 불문율이라든가 명문 정파의 자긍심이라든가 하는 게
지금 이 상황에서 뭐가 그리 중요하고 대단할까.
지금은 전쟁 중이다.
끝까지 살아남고 승리를 거머쥐기 위해서는
수단과 방법을 가리지 않아야 한다. 그게 전쟁인 게다.'

## 1. 어찌 생각하나?

"차도살인지계?"

근엄하게 생긴 노안(老顔)과는 어울리지 않게 붉은 대춧빛이 감도는 뺨이 인상적인 노인이 술잔을 따르며 물었다.

맞은편 자리에 앉아 있던 항조군은 고개를 숙이며 말을 받았다.

"그렇습니다. 아무래도 본가와 무적가를 양패구상을 시켜 어부지리를 노리는 누군가의 계략에 빠진 것 같습니다."

"누군가라면?"

"유령교의 잔당들과 무림오적이라는 조직일 가능성이 매우 높습니다."

"가주께는 말씀드렸소?"

"결정적인 증거가 없는 빈약한 추론을 함부로 입에 올렸다가 어찌 될 줄 몰라서 아직 말씀드리지 못했습니다."

"홈…… 나더러 직접 가주께 보고를 드리라 이 뜻이로군."

"죄송합니다."

항조군은 고개를 조아렸다.

주루는 술을 마시는 손님들로 가득 차 있었고, 그들의 웃고 떠드는 소리에 대청이 떠나갈 듯했다.

항조군의 자리에도 술과 요리가 마련되어 있었지만 그는 아직 한 모금도 마시지 않았다. 반면 그의 앞에 앉아 있는 노인은 느긋하게 술잔을 비워 내고 있었다.

술잔을 비운 노인은 다시 묵묵히 술을 따랐다. 항조군은 노인의 느릿느릿한 행동이 답답했지만 그의 답변을 재촉하지 않았다.

항조군은 노인의 경륜과 경험, 지혜를 신뢰하고 존경했다. 아니, 항조군뿐만 아니라 철목가의 모든 무사들이 노인을 신뢰하고 존경했다.

'철목가의 가주는 철극신이지만 실질적인 기둥은 이분, 금강천존이라 할 수 있지.'

항조군은 그렇게 생각했다. 그래서 늘 해결하기 곤란하고 어려운 일이 있으면 그를 찾아와 이렇게 해답을 얻어 갔다.

금강천존은 석 잔째의 술을 비운 후 더는 술을 따르지 않았다.

그는 빈 술잔을 내려다보며 중얼거렸다.

"때가 때인 만큼 이 석 잔의 술로 추도(追悼)하는 걸 용서하시게, 맹군. 차후 본가로 돌아가서 제대로 제단을 쌓고 예를 갖춰 추모할 터이니. 다른 죽어 간 형제들과 함께 말일세."

항조군은 그제야 왜 금강천존이 혼자서 계속 술을 마셨는지 알 수 있었다. 그리고 그 말 한마디 한마디가 항조군의 가슴으로 절절히 파고들었다.

'나는 전혀 생각하지도 못했다. 그저 누가 철목가를 해치려 하는지만 생각했지, 이번 전투로 죽은 이들에 대한 애도와 추모는 전혀 생각하지 않았다.'

늘 이런 식이었다, 금강천존은. 언제나 후배를 위하고 수하를 생각하며 가문에 충성을 바치는, 그야말로 뭇 무사들의 귀감이자 경외의 대상이었다.

한동안 아무런 말 없이 손가락 끝으로 빈 술잔을 톡톡 건드리던 금강천존이 문득 고개를 들어 항조군을 바라보며 입을 열었다.

"그동안 수하들과 함께 성도부를 샅샅이 뒤졌지만 어디에서고 유령교의 흔적을 발견할 수 없었네. 심지어 정보를 사고파는 황계와 연풍회에 의뢰를 했지만 역시 그곳에서도 별다른 정보를 주지 못했네."

항조군은 고개를 조아리며 말했다.

"완벽하게 신분과 정체를 숨긴 채 살아가고 있을 겁니다."

"그렇겠지. 하지만 이상하지 않은가?"

"네? 뭐가 말씀이십니까?"

"적정의 보수만 지급한다면 황제가 지금 어느 방에서 어떤 궁녀와 잠을 자는지도 알려 준다는 황계가 아니던가? 또한 우리에게 무림오적이라는 조직에 대해 알려 준 연풍회가 아니던가? 그런 정보 집단들조차 이곳 성도부에 존재한다는 유령교의 잔당에 대해서 전혀 알지 못한다?"

"그, 그건……."

"그건 둘 중 한 가지일 걸세. 하나는 성도부에 유령교의 잔당이 존재하지 않는 것."

항조군은 마른침을 꿀꺽 삼키며 금강천존의 다음 말을 기다렸다. 금강천존은 뜸 들이지 않고 곧바로 말을 이어 나갔다.

"다른 하나는 그들이 일부러 침묵하고 있다는 것."

"침묵이요? 침묵이라면 설마⋯⋯ 이미 유령교에 대해서 알고 있음에도 불구하고 그 정보를 우리에게 넘기지 않았다는 건가요?"

항조군은 믿을 수 없다는 표정을 지으며 고개를 휘휘 내저었다.

"그럴 리가요. 애당초 정보 조직이라는 게 얼마나 신용이 중요한데요? 조작된 정보를 건네주거나 혹은 천존께서 말씀하시듯 정보료를 받았음에도 불구하고 정보를 넘겨주지 않는 게 발각되기라도 한다면, 그날로 그 조직은 망하게 될 텐데요."

"그런 위험을 감수하고서라도 정보를 숨기고 있다면? 그럴 가능성이 아예 없다고 할 수 있을까?"

"글쎄요⋯⋯. 절대 없다, 라고 할 수는 없겠지만⋯⋯."

"그럼 됐네. 바로 그 부분부터 확인해야겠네."

금강천존은 결론을 내린 모양이었다.

"우리가 일을 맡긴 황계 지부와 연풍회를 찾아가서 그 최고 책임자를 직접 만날 것이네. 그리고 무림의 불문율에 어긋나는 일을 행하는 한이 있더라도 반드시 그들의 입을 통해서 유령교와 무림오적의 행적에 대해 알아내겠네."

"아니, 그래도 그게⋯⋯."

그건 아니다 싶어서 한마디 하려던 항조군의 시야에 텅

빈 술잔이 들어왔다. 살해당한 비룡맹군에게 바친 애도의 빈 술잔.

항조군은 입술을 깨물었다.

'무림의 불문율이라든가 명문 정파의 자긍심이라든가 하는 게 지금 이 상황에서 뭐가 그리 중요하고 대단할까. 지금은 전쟁 중이다. 끝까지 살아남고 승리를 거머쥐기 위해서는 수단과 방법을 가리지 않아야 한다. 그게 전쟁인 게다.'

그렇게 생각한 항조군은 고개를 끄덕였다.

"알겠습니다. 두 집단을 찾아가 확실하게 처리하겠습니다."

"음? 항 총관이?"

"네? 그럼 또 누가…….."

"내가 직접 움직이겠네."

금강천존의 말에 항조군은 난처한 표정을 지었다.

"하지만 지금 당장 배알(拜謁)하라는 가주의 명(命)이…….."

"가주께는 급한 용무가 있어서 그걸 마저 처리한 후 찾아뵙겠다고 전해 주게."

"아, 아니…… 가주의 성격을 누구보다 잘 아시면서 어찌 제게 그런 위험한 일을 시키시는 겁니까?"

항조군은 울상이 되었다.

"제가 연풍회와 황계 지부를 찾아가겠습니다. 그리고

그들이 발뺌하지 못하도록 모든 수단을 동원해서……."

"안 되네."

금강천존은 일언지하에 항조군의 말을 잘랐다. 그리고 차분한 눈빛으로 그를 바라보면서 말을 이었다.

"아쉽지만 항 총관으로는 그들이 진실을 말하는지 거짓을 고하는지 알아낼 수 없을 걸세."

항조군이 움찔거렸다.

"아니, 그렇게까지 제가 우둔하지는……."

"그건 우둔하고 아니고의 문제가 아니네. 얼마나 많은 거짓말을 들었는지, 그리고 그 거짓말을 하는 이들의 공통된 특징이 무엇인지 그걸 간파해 낼 줄 아느냐 모르느냐의 차이일세."

"그, 그건……."

"지금껏 나는 수천수만 명의 사람을 접견했네. 그들은 저마다의 사정을 가지고 와서 애걸하거나 부탁하거나 혹은 나를 설득하려 했지. 나는 신중하게 판단할 수밖에 없었네. 그들의 부탁을 모두 들어줄 수 없었고, 또 거짓말로 나를 설득하려는 자들도 넘쳐났으니까."

항조군은 내심 고개를 끄덕였다.

금강천존은 철목가의 이인자였다. 그리고 가주 철극신과는 달리 사람들이 가까이 다가가고 스스럼없이 대화를 나눌 수 있는 인물이기도 했다.

그런 연유로 수많은 이들이 그에게 청탁을 하거나 도움을 청했으며, 심지어 그를 이용하고자 하는 이들도 적지 않았다.

금강천존은 담담하게 말을 이어 나갔다.

"그렇게 수십 년 동안 사람들의 이야기를 듣고 판단하고 결정을 내리는 가운데, 이제는 그들이 거짓말을 하는지, 하지 않는지 어느 정도 알 수 있게 되었다네."

"대단합니다."

항조군은 진심으로 감탄했다. 금강천존은 가만히 항조군을 바라보다가 문득 싱긋 웃으며 말했다.

"실은 거짓말일세."

"네?"

일순 항조군의 눈이 휘둥그레졌다. 금강천존은 장난꾸러기 꼬마처럼 콧잔등을 씰룩이며 말했다.

"내가 무슨 사람 속마음을 꿰뚫어 볼 수 있는 능력을 가진 것도 아니고 어떻게 그가 거짓말을 하고 있는지, 사실을 말하는지 알 수 있겠나?"

"아…… 그러면 전부 거짓말이었던 겁니까?"

항조군이 조금 허탈한 표정을 지으며 묻자, 이번에는 정색하며 고개를 가로젓는 금강천존이었다.

"아니. 사실이네."

"네?"

항조군이 눈이 다시 커졌다. 금강천존은 진지한 눈빛으로 그를 바라보며 말했다.

"내가 거짓말을 할 사람으로 보이는가?"

"그, 그야……."

항조군은 어쩔 줄 몰라 하며 허둥거렸다.

"지금껏 내가 한 말들은 모두 한 점 거짓도 없는 사실이네. 나는 거짓말과 진실을 구별하는 능력을 지니고 있다네."

금강천존이 정색하며 그렇게 말하자 항조군은 더 이상 뭐가 뭔지 알 수 없게 되었다. 지금 그가 하고 있는 말이 거짓말인지 아닌지 도저히 종잡을 수가 없었다.

그렇게 항조군이 당황해하며 난감한 표정을 짓고 있자 금강천존은 이내 부드럽게 웃으며 말했다.

"그래서 하 총관이 가면 안 된다는 것이네."

"그렇군요. 잘 알겠습니다. 확실히 제가 모자란 부분이 많습니다."

항조군은 어깨를 축 늘어뜨리며 대답했다. 금강천존이 자리에서 일어나며 말했다.

"그럼 가주께 그리 전해 드리게. 나는 황계 지부와 연풍회를 찾아가 제대로 물어볼 것이네. 유령교의 잔당에 대해서 알고 있는지 말일세."

"네, 그리 말씀드리겠습니다. 그런데……."

항조군도 자리에서 따라 일어서다가 문득 궁금증을 참지 못하고 물었다.

"조금 전 하셨던 말씀들이 모두 사실입니까? 아니면……."

금강천존이 슬며시 웃으며 되물었다.

"어찌 생각하나?"


## 2. 황계 지부주

성도부의 공식적인 황계 지부는 남문에서 그리 멀리 떨어져 있지 않은 태화로(太和路) 유흥가에 위치해 있었다. 제법 규모가 있는 삼 층 건물로, 일이 층은 일반 주루로 사용했으며 황계의 정보를 얻고자 들른 손님들은 삼 층으로 올라가야만 했다.

금강천존이 다섯 명의 호위무사를 대동하고 그곳에 나타난 건 어느덧 해가 뉘엿뉘엿 지는 저녁 무렵이었다.

"겉으로 보기에는 그저 평범한 주루 같구나. 따로 현판까지 달고 말이지."

금강천존이 삼 층 건물을 둘러보며 중얼거렸다.

아닌 게 아니라 입구 현판에는 태화루(太和樓)라는, 황계와는 아무런 상관도 없어 보이는 명칭이 새겨져 있었다. 모르는 사람이 보면 확실히 일반 평범한 주루와 다를 바가 없었다.

"그러니까 아는 사람만 찾아오라 이건가? 흠, 그래 가지고 어디 정보를 사고팔 수 있겠나?"

혼잣말을 하면서 잠시 주변 경관을 둘러보던 금강천존은 이윽고 뒷짐을 진 채 태화루 안으로 들어섰다. 다섯 호위들이 조심스레 그 뒤를 따랐다.

"어서 오십시오!"

문을 열고 안으로 들어서는 순간 점소이의 밝고 쾌활한 인사가 금강천존을 맞이했다.

금강천존은 입구에 서서 대청을 둘러보았다. 꽤 넓은 공간 가득 술을 마시고 식사를 하는 손님들로 가득 차 있었다. 뻥 뚫린 공간을 통해 보이는 이 층도 마찬가지였다.

이건 평범한 주루가 아니라 꽤나 잘나가는 주루라는 생각이 언뜻 들 정도로 손님들이 붐볐다.

"이 층으로 안내할까요?"

점소이가 다가와 웃는 낯으로 물었다. 금강천존도 웃는 낯으로 말했다.

"황계를 찾아왔네."

점소이가 고개를 갸웃거렸다.

"황계라니요?"

"삼 층에 오르고 싶다는 말일세."

점소이는 웃으며 말했다.

"뭔가 잘못 알고 오셨나 봅니다. 삼 층은 이 주루에서 일하는 사람들의 숙소이고요, 황계라는 말은 들어 본 적도 없답니다. 그럼 이 층, 태화로가 훤히 내려다보이는 창가 자리로 안내해 드릴까요?"

"허허."

금강천존이 웃으며 말했다.

"그러나저러나 장작불에 구운 황구(黃狗)가 먹고 싶은데."

엉뚱하면서도 느닷없는 말이었다. 갑자기 개고기가 먹고 싶다니, 영 이해할 수 없는 말을 하는 것이다.

하지만 정작 점소이는 살짝 표정을 굳히며 가볍게 한숨을 내쉬었다. 그리고는 불퉁한 얼굴로 투덜거리듯 말했다.

"황구는 비쌉니다."

금강천존은 재미있다는 듯 싱글벙글 웃으며 말을 받았다.

"황금 열세 냥이면 충분하더냐?"

점소이는 혼잣말처럼 볼멘소리로 중얼거렸다.

"아니, 암화(暗話)를 알고 있으면 처음부터 암화를 할 것이지……."

비록 점소이의 입안에서만 웅얼거리는 소리였지만 그

걸 듣지 못할 금강천존이 아니었다. 그는 웃으며 말했다.

"미안하네. 조금 시험해 볼 것이 있어서 그랬네. 이해하게."

"괜찮습니다. 그럼 삼 층으로 오르시죠."

점소이는 곧 삼 층으로 금강천존 일행을 안내했다. 금강천존은 느긋하게 그 뒤를 따라 계단을 올랐다.

원래 정보 집단을 이용하려면 일반적으로 그 집단마다 고유한 암화나 신표(信標) 같은 게 필요했다. 가령 흑개방은 조금 큰 동전처럼 생긴 신표를 사용했고, 황계의 경우에는 미리 약속된 암화를 이용했다.

즉, 규격에 맞지 않은 동전을 가지고 오거나 제대로 암화를 주고받지 못한다면 흑개방이나 황계를 이용할 손님의 자격이 없게 되는 셈이었다.

그리고 그런 의미에서 점소이의 마음에는 들지 않지만, 제대로 암화를 주고받은 이 대춧빛 얼굴의 노인은 확실히 황계의 손님이었다.

삼 층 입구는 두툼한 흑갈색의 나무문으로 가로막혀 있었다. 그 안에서 무슨 일이 벌어지더라도, 어떤 큰 소리가 나더라도 모두 막아 줄 것만 같은 든든한 문이었다.

'호오, 흑단목(黑檀木)으로 만든 문이로군.'

금강천존이 내심 감탄하고 있을 때, 계단 끝자락에 선 점소이가 뭔가 주문 같은 소리를 읊조렸다.

천천히 문이 열렸다. 아무것도 보이지 않은 어두운 공간이 그 안에 있었다.

"그럼 이만."

점소이가 한쪽으로 비켜서며 말했다.

"수고했네."

금강천존은 점소이를 지나 삼 층으로 올랐다. 다섯 명의 호위무사들이 그 뒤를 따랐다. 다시 흑단목으로 만들어진 문이 소리 없이 닫혔다.

금강천존 일행은 그 자리에서 움직이지 않았다. 몇 겹의 장막으로 휘감은 듯 한 치 앞도 보이지 않았다.

금강천존은 힐끗 우측으로 고개를 돌렸다. 무언가 조심스레 다가오던 기척들이 움찔거리며 멈춰 섰다. 금강천존이 미소를 지으며 말했다.

"너무 겁주지 말게."

"놀라셨다면 죄송합니다."

몰래 다가서던 기척들 중 하나가 사과했다. 그리고는 다시 그 기척들이 금강천존 일행에게 다가오며 동시에 말했다.

"이제부터 안대를 쓰셔야 합니다."

"무기를 휴대할 수 없습니다. 우리에게 건네주십시오."

"부주 앞에 이르실 때까지 한 마디도 하시면 안 됩니다."

    그들의 말에 금강천존을 호위하던 무사들이 먼저 발끈
했다.

    "이분이 누구인지 알고 감히……."

    기척들은 침착하게 말했다.

    "잘 알고 있습니다. 어찌 천하의 금강천존을 몰라볼 수
있겠습니까?"

    "하지만 설령 황제라 하더라도 반드시 이 규칙을 지키
게 되어 있으니 양해 부탁드립니다."

    "행여 이 규칙이 마음에 들지 않으시다면 이대로 다시
나가셔도 상관없습니다."

    아무런 감정이 실리지 않은 목소리들이 톱니바퀴 돌아
가듯 규칙적으로 이어졌다.

    "상관없네."

    금강천존이 인자한 목소리로 말했다.

    "황계에 왔으면 황계의 규칙을 따라야 하는 법. 마음대
로 하시게."

    금강천존이 그렇게까지 말하니 호위무사들도 어쩔 도
리가 없었다. 그들은 아직까지 불만이라는 듯한 태도로
자신들의 무기를 건넸다.

    황계 쪽 사람들은 곧 금강천존과 무사들에게 안대를 씌
웠고, 그들의 소매를 잡아 이끌어 안내하기 시작했다.

    시간이 지나면서 안대에 가려진 금강천존과 무사들의

표정이 묘하게 변했다. 그들은 황계 사람들에게 이끌려 삼 층 대청을 무려 일각 이상이나 쉬지 않고 걸어야만 했다.

'빙빙 맴도는 게 아니다. 오로지 일직선으로 걷고 있는 게다, 그것도 일각 이상이나.'

금강천존은 즐겁다는 듯이 미소를 머금으며 생각했다.

일직선의 걸이를 일정한 걸음걸이로 일각가량 걸으면 대략 이 리(里) 반[약 1km] 정도의 거리를 걸을 수 있었 다. 절대 평범한 주루의 삼 층 대청을 일직선으로 걸을 만한 거리가 아니었다.

'진식인가? 아니면 뭔가 우리의 착각을 일으키게 하는 수법이 있는 걸까?'

금강천존이 흥미 있는 표정을 지을 때였다.

"다 왔습니다."

다시 기척들의 음성이 연달아 이어지기 시작했다.

"금강천존께서는 이리로 앉으시면 됩니다."

"다른 분들은 문밖에서 기다리시죠."

호위무사들이 머뭇거리자 금강천존이 웃으며 말했다.

"됐다. 그들의 말에 따르자."

"존명."

호위무사들은 더 이상 움직이지 않았다.

금강천존은 안내하는 자의 손에 이끌려 어딘가의 방으 로 들어선 다음 다시 자리에 앉았다.

안내하는 자가 금강천존의 안대를 풀었다. 눈이 멀 것 같은 강렬한 섬광이 금강천존의 시야를 가득 메웠다.

금강천존은 지그시 눈을 감았다. 그 눈이 멀 정도로 강렬한 섬광이 알고 보면 일개 등잔불에 불과하다는 사실 정도는 굳이 확인하지 않아도 알 수 있었다.

그는 눈을 감은 채 모든 감각을 한껏 끌어올려 주변의 기척을 감지하고 살폈다.

정면 탁자 너머에 한 명의 사내가 앉아 있었다. 호흡이 부드럽고 일정한 것이 제법 괜찮은 실력을 소유한 자였다.

금강천존을 두려워하거나 무서워하는 낌새는 없었다. 공기의 파장을 타고 전해지는 심장 박동은 천천히 뛰고 있었다.

"예까지 모시는 데 저지른 무례를 용서하시기 바랍니다."

사내의 말에 금강천존은 천천히 눈을 떴다.

한결 안정된 시야로 사내의 모습이 들어왔다. 이십대 후반에서 삼십대 초중반까지, 꽤 넓은 폭으로 나이를 유추할 수 있을 정도의 용모를 지닌 사내였다. 특이한 것은 한쪽 소매가 헐렁한 외팔이라는 점이었다.

사내는 자신의 팔을 바라보는 금강천존의 시선을 읽었는지 보기 좋은 미소를 지으면서 말했다.

"은혜를 모르는 작자를 구하려다 당한 부상입니다. 지금은 '그래, 멋대로 해 봐라' 해서 가만 놔두고 있지만, 언제고 크게 한 방 먹여 줄 생각입니다."

처음 만나는 손님에게 할 말은 아닌 듯했지만 사내는 아무 거리낌 없이 술술 이야기를 늘어놓았다.

"귀하가 이곳 성도부 황계 지부주인가?"

금강천존은 사내의 대화 흐름에 어울리지 않겠다는 듯 단도직입적으로 물었다.

"그렇습니다."

사내는 고개를 끄덕이며 대답했다.

"정식으로 인사드리죠. 성도부 황계 지부의 책임을 맡고 있는 왕일문(王一文)이라고 합니다."


### 3. 금강천존

금강천존은 스스로를 황계 지부주라고 소개한 왕일문이라는 외팔이 사내를 가만히 바라보았다.

싹싹하고 유들유들하며 입담이 좋은 것이 황계 지부의 책임자보다는 일반 객잔의 점소이가 더 어울릴 법한 사내였다.

하지만 금강천존은 사내를 과소평가하지 않았다.

여전히 사내의 심장 박동은 일정한 상태를 유지하고 있었다. 즉, 금강천존과 정면으로 마주 앉아서 대화를 나누고 있으면서 조금도 긴장하거나 두려워하지 않는다는 의미였다.

금강천존은 그의 눈에서 시선을 떼지 않은 채 천천히 입을 열었다.

"일전에 내 동료들이 찾아와 수소문한 정보가 있을 텐데."

왕일문이라는 사내는 잠시 생각하는 척하다가 "아!" 하면서 고개를 끄덕였다.

"네. 비룡맹군과 무적검군께서 손수 찾아오셨더랬죠. 그리고 유령교의 잔당과 무림오적이라는 조직, 거기에 십삼매라는 여인에 대한 정보를 원하셨고요."

"그래서?"

"당시 본 지부가 지니고 있던 모든 정보를 넘겨 드렸습니다. 그리고 필요하시다면 또 다른 정보들을 수집하겠다고 말씀드렸고요."

"그래서?"

"물론 두 분께서는 그렇게 하라고 말씀하셨습니다. 따로 선금으로 은자 천 냥을 주셨고요. 그날 이후로 본 지부의 전력을 기울여 그들의 구성과 행적, 그리고 현재 위치에 대해서 조사하는 중입니다."

"대충 열흘 정도 지났나?"

"정확하게 십삼 일 되었습니다."

"그런데 여태 별다른 소식이 없고?"

"죄송합니다만 정보라는 게 그렇게 쉽게 얻어진다면 저희는 부자가 되었겠죠. 백 명의 정보원이 며칠 몇 달 동안 각고의 노력을 하여 얻어 낸 수천수만 가지의 정보들 속에서 그나마 돈이 될 것 같은 정보 한두 가지를 추려 내야 하는 그 힘든 작업을 끝내면…… 그때 비로소 손님들께 제공할 정보가 완성이 되는 겁니다. 무작정 이렇게 찾아오셔서 '왜 이리 늦느냐?' 하고 채근하셔 봤자……."

"말이 상당히 많으시군그래."

"아, 죄송합니다. 안 그래도 제가 조금 말이 많은 편이라서 웃어른들께 매번 혼나기는 합니다. 하지만 그래도 악의나 악감정은 없다는 점을 꼭 알아주시기 바랍니다."

"다시 한번 묻겠네. 유령교의 잔당들이 어디에 있는지 알고 계시나?"

"다시 한번 대답 드리겠습니다. 그 정보를 찾아내기 위해서 지금 수백 명의 정보원들이 고생을 하고 있는……."

"됐네."

금강천존은 가볍게 손을 내저으며 왕일문의 말을 잘랐다 싶은 순간, 그 내민 손을 앞으로 뻗어 왕일문의 멱살을 움켜쥐었다.

왕일문은 흠칫하는 표정이었지만 그 손길을 피하거나 막지 않았다. 고스란히 왕일문의 멱살이 금강천존의 손아귀에 들어갔다.

왕일문이 웃으며 입을 열었다.

"이래 봤자 좋을 게 하나도 없습니다만…… 컥."

금강천존이 미소를 지으며 말했다.

"나 좋으라고 하는 일은 아니네. 그저 해야 할 일이니까 할 뿐이라네."

"컥컥, 말을…… 할 수가…… ."

"됐네. 자네는 말이 너무 많네. 이제부터는 내가 듣고 싶은 대답만 하면 되는 걸세."

금강천존은 새파랗게 질려 가는 왕일문의 얼굴을 바라보며 물었다.

"유령교의 잔당들이 어디에 모여 있지?"

왕일문은 천천히 자신의 멱살을 죄는 금강천존의 억센 손아귀 힘에 제대로 숨을 쉴 수가 없다는 듯 시뻘겋다 못해 새파랗게 된 얼굴로 삐끔거렸다.

"모, 모릅……."

"그럼 죽게."

왕일문은 인자한 표정을 지으며 말했다.

"내 질문에 대한 답을 아는 자가 한 명 정도는 있겠지. 그자만 살려 두고 나머지는 모두 죽여도 상관없으니까."

"그, 그게…… 명, 명문 정파인…… 철목가……."

"말하지 않았던가? 지금 우리는 전쟁 중이라고. 전쟁을 승리로 이끌기 위해서는 약간의 인성(人性)과 양심과 감정을 버릴 줄 알아야 하거든. 아이쿠, 자네에게 물이 들었는지 나도 말이 많군그래. 응? 이대로 죽을 작정인가?"

금강천존이 바동거리는 왕일문의 얼굴을 들여다보며 그렇게 물을 때였다.

콰앙!

등 뒤의 문이 박살 나고 동시에 서너 명의 기척들이 안으로 뛰어들었다. 이곳까지 안내해 주던 바로 그 기척들이었다.

그들은 화살처럼 빠르고, 창처럼 강력하게 금강천존의 등을 향해 칼과 검을 휘둘렀다.

금강천존은 전혀 당황하지 않았다. 아니, 외려 그들이 이런 기습을 펼칠 거라는 사실을 미리 알고 있었다는 듯 침착하게 손을 뒤로 뻗어 좌우로 흔들었다.

순간 그의 손에서 강맹무비(强猛無比)한 장력이 우르릉! 하는 천둥소리와 함께 뿜어져 나왔다. 얼마나 가공할 기세였던지 나무로 만든 벽면이 뒤틀리고 천정이 금방이라도 무너질 것처럼 출렁였다.

금강천존의 장력은 태풍처럼 휘몰아치며 그를 향해 달

려들던 기척들을 강타했다.

살이 찢어지고 뼈가 부러지는 고통이 작렬했다. 덤벼들던 속도보다 훨씬 더 빠르게 문밖으로 튕겨 나간 그들은 그 기세 그대로 대청 벽면까자 날아가 쿵! 하고 부딪친 후 바닥으로 떨어졌다.

"헉!"

"컥!"

신음과 비명이 그들의 입에서 피분수와 함께 터져 나왔다. 몇 차례 전신을 부르르 떠는가 싶더니 그들은 그렇게 아무렇게나 널브러진 상태로 모두 절명했다.

'이, 이게…… 금강천존이란 말인가?'

왕일문은 믿을 수가 없었다. 자신이 가장 신뢰하는 수하이자 동료들이 이렇게 어처구니없을 정도로 간단하게 몰살당할 거라고는 전혀 생각지 않았으니까.

'이자…… 정극신보다 더 강할지도…….'

그렇게 생각하던 왕일문의 눈은 금방이라도 튀어나올 것 같았다. 숨을 쉴 수 없는 바람에 머릿속이 당장 폭발할 것처럼 부글부글 끓어오르는 가운데, 그는 억지로 입을 열었다.

"마, 말…… 하겠…… 커억!"

갑자기 목을 옥죄던 압력이 사라지는 것과 동시에 천당의 꿀맛과 같은 공기가 폐 안으로 들어왔다.

반사적으로 왕일문의 눈에서 눈물이 흘러나왔다. 콧물이 꾸역꾸역 밀려 나왔다. 갑작스레 공기가 머릿속으로 쏟아져 들어오는 바람에, 마치 앵속(罌粟)이라도 빤 것처럼 정신이 핑 돌기까지 했다.

"우욱!"

그는 허리를 굽히고 토하기 시작했다.

금강천존은 그런 왕일문을 내려다보며 차분한 어조로 말했다.

"사람들은 금강철마존(金剛鐵魔尊)의 장력이 이 세상에서 가장 강하다고 알고 있지. 하지만 정작 그 금강철마존이 내 장력에 의해 큰 내상을 입고 한동안 모처(某處)에서 은둔하며 요양했던 건 정작 모르고 있다네."

"커억!"

요란한 소리와 함께 온갖 토사물을 게워 내던 왕일문은 소매를 들어 입을 훔치며 생각했다.

'정사대전 당시 금강철마존께서 내상을 입으시고 스스로 이곳 성도부 뇌옥에 갇혀서 요양을 하신 적이 있다던데…… 그게 바로 이 금강천존의 작품이었구나.'

금강천존은 계속해서 말했다.

"물론 그게 온전한 나만의 승리라고 할 수 있느냐면 또 그건 아니기도 하지. 어쨌든 일대일의 정면 승부는 아니었으니까."

'그랬겠지. 일대일로 싸워서 그분을 이길 자는 천하에 단 한 명도 없으니까.'

"하지만 그걸 부끄럽게 생각한다거나 수치스럽다고 여기지는 않는다네. 당시 상황은 전쟁 중이었고, 우리가 반드시 이겨야만 하는 전쟁이었으니까."

금강천존은 왕일문의 앞까지 걸어왔다. 왕일문이 게워 낸 토사물이 그의 발밑까지 흘렀다. 금강천존은 전혀 개의치 않고 말을 이어 나갔다.

"아까도 말했다시피 지금도 전쟁 중이라네. 그리고 전쟁 중에는 양심의 가책이나 정의와 인성 같은 걸 생각하면 안 되는 게고. 그런 의미에서 지금 이 자리에서 제대로 된 대답을 듣지 못할 경우……."

금강천존은 게서 말을 끊고 가만히 왕일문을 내려다보았다. 왕일문은 허리를 숙인 채 자신이 게워 낸 토사물을 내려다보고 있었다.

허리를 숙인 바람에 그의 얼굴은 가려져 있어서 그의 표정이 어떠한지, 어떤 얼굴을 하고 있는지, 무슨 생각을 하는 눈빛인지 전혀 알아볼 도리가 없었다.

금강천존은 가만히 그를 지켜보면서 그의 기척과 숨소리, 심장의 박동, 손발의 떨림, 목덜미를 타고 흐르는 땀과 피부에 올라온 소름 등을 자세히 살폈다.

그리고 왕일문이 지금 공포와 겁에 질려 있고, 자신을

두려워하고 있다는 사실을 확인한 후 금강천존은 다시 천천히 입을 열었다.

"내 명예를 걸고 약속하건대 이것 지부는 물론이거니와 황계 자체를 이 땅에서 멸절(滅絕)시킬 것이네."

금강천존은 사람 좋은 미소를 지으며 물었다.

"그러니 이제 말하시게. 유령교의 잔당이 지금 어디에 있지?"

10장.
평범하지 않은 사람들

"너는 손발이 날래고 기척이 옅은 것이 살수의 자질이 있다.
내가 살수 집단을 알아봐 줄 테니 그곳에서 최고가 되어라.
그리고 그 집단을 네 것으로 만들어라.
그리하여 황궤의 훌륭한 수족(手足)으로 사용할 수 있도록."

## 1. 게으르게

담우천의 고문은 잔인했다.

한 수 배우겠다고 찾아왔던 고굉이 구토를 하며 밖으로 도망칠 정도로 그의 고문은 악랄하고 잔악했다.

하지만 백노도 평범한 인물이 아니었다. 그는 손톱이 빠지고 생니가 뽑히는 고통을 참았다.

물론 그런 백노에게도 한계는 있었다. 살갗에 상처를 내고 그 위에 소금을 뿌리거나, 혹은 설탕을 뿌린 후 개미들을 올려놓는 행위에는 결국 목이 터져라 비명을 지르며 몸부림을 칠 수밖에 없었다.

"으아아악!"

창고 밖으로 연거푸 들려오던 백노의 비명 소리가 점점 가늘어지는가 싶더니 이제는 겨우 할딱거리는 신음만이 간헐적으로 새어 나왔다.

"대단하군."

강만리가 창고 쪽으로 귀를 기울이다가 고개를 설레설레 흔들며 중얼거렸다.

"생각보다 훨씬 대단한 자입니다. 담 장주의 그런 고문을 아직까지 버티고 있는 걸 보면 말입니다."

양위가 고개를 끄덕이며 말했다.

그들은 담우천이 고문을 시작하자마자 곧장 창고에서 도망치듯 빠져나왔다. 맨 정신으로는 그 고문의 과정을 도저히 지켜볼 엄두가 나지 않았던 것이다.

그렇게 창고를 빠져나온 그들은 조금 떨어진 곳에서 서성거리며 고문이 끝나기만을 기다리고 있었다.

"역시 구천십지백사백마다운 인내력인가 싶습니다."

"응?"

양위의 말에 강만리는 고개를 갸웃거리더니 이내 "아." 하며 입을 열었다.

"내가 대단하다고 한 건 백염살귀가 아니라 담 형님이라네."

"담 장주요?"

"그래. 저런 고문을 아무런 표정 변화 없이, 한 치의 격

동도 없이 흔들리지 않고 해 나가는 담 형님이 대단하다는 뜻이었다."

"아, 그것도 그렇군요. 확실히 평범한 사람은 결코 할 수 없는 일이기는 합니다."

"그래. 평범한 사람은 못하지. 그리고 담 형님은 결코 평범한 사람이 아니지."

강만리는 문득 걸음을 멈추고 창고 쪽으로 시선을 돌리며 말을 이었다.

"나는 담 형님의 과거를 듣고 하마터면 기절할 뻔했다네. 부모도 모른 채 갓난아기 때부터 교두(教頭)라는 자들의 손에 키워졌다지. 그리고 아장아장 걸어 다니게 될 무렵부터 무공을 배우고 칼을 휘두르고 사람을 죽이는 수법을 익혔다더군."

양위는 강만리의 말을 묵묵히 듣고만 있었다.

물론 양위도 대충 담우천의 과거에 대해서 알고는 있었지만 이런 식으로 자세하게까지는 알지 못했다.

그래서였다. 강만리의 이야기를 들으면 들을수록 커다란 망치로 그의 뒤통수를 가격하는 듯한 거센 충격이 있었다.

"담 형님 주위에는 담 형님처럼 자란 고아들이 수백수천 명이나 있었다지. 다들 한 식구처럼, 한 형제처럼 자라기를 수년째, 하지만 교두란 자들은 그렇게 평범하게 담 형님을 키울 생각이 없었지. 나중에는 그 고아들을 모두 한 곳에 밀어 놓고 게서 살아남는 아이들만 추려 냈으니까."

"으음."

양위는 저도 모르게 얕은 신음을 흘렸다.

살수 집단에서 그런 식으로 조직원을 키워 낸다는 이야기를 언뜻 들은 적이 있었지만, 이렇게 실제로 그런 일이 벌어지고 있다는 사실을 알게 된 건 지금이 처음이었다.

"그렇게 추리고 추려 낸 아이들이 성장하여 사선행자가 되었고, 또 사선행수가 되어서 사마외도의 거마들을 암습하고 기습하여 죽이고 또 죽였지."

당시 사선행자들의 활약은 눈부셨다. 오대가문과 정파 연합의 열세를 일시에 우세로 바꿀 정도의 활약이었다. 모든 전장에서 그들은 활약했고, 모든 전황을 압도적으로 유리하게 바꾸는데 그 일익(一翼)을 담당했다.

훗날 정사대전을 연구하던 사가(史家)들 중에서 정파가 승리하는 데 있어서의 일등공신으로 사선행자를 꼽지 않은 이가 없었다.

"결국 정사대전이 그들의 승리로 끝났을 때…… 놀랍게도, 아니지. 어쩌면 이미 예상한 대로 그들은 오대가문에 의해 토사구팽이 되었다네. 사선행수와 사선행자의 존재는 명문정파를 자처하고, 정의와 대의를 추구하는 그들에게 있어서 걸림돌이 되었으니까."

어쨌든 사선행자는 살수들이었다. 암습과 기습, 함정에 능통한, 제대로 된 무인이 아니었다.

전쟁 중에는 그런 존재의 활약이 용납되었으나 전쟁이 끝나자 그들의 활약에 대한 보상은커녕 아예 그 존재조차 부인되었다.

"그래도 어찌어찌 끝까지 살아남아서 혼인도 하고 아들들도 생겼지. 강호 무림과는 관계없는 저 머나먼 백산(白山)에서 은거하듯 살면서, 그래도 나름 한 가족이 행복하게 잘 살았다네. 형수가 납치당하기 전까지만 하더라도."

어찌 보면 담우천만큼 기구한 운명을 지닌 사람은 없었다. 모진 풍파를 겪으며 겨우 살아남아서 이제는 조금 행복해지겠다 싶을 때 아내가 납치되었다.

그 아내를 쫓아서 수만 리 대륙을 종단하고, 마침내 아내를 만났지만 결국 그녀의 목숨을 구할 수 없게 되었을 때.

과연 그때 담우천의 심정은 어떠했을까.

'알 수 없지.'

양위는 속으로 중얼거렸다.

'그 처절한 심정이야 당사자가 아니면 어찌 알 수 있을까. 알 수 없지. 평범한 사람은 결코 알 수 없는 심정이지.'

"평범한 사람이라면 미쳤을 게야. 미쳐서 광인이 되거나 죽거나 했겠지. 하지만 담 형님은 평범한 사람이 아니었고……. 그래서 끝까지 복수를 계획했고 마침내 저 무적가의 소가주와 가주를 해치울 수가 있었네. 그게 담 형님이지."

강만리의 말에 양위는 반사적으로 고개를 끄덕이며 생각했다.

'네. 그게 바로 담 장주이십니다.'

강만리는 계속해서 말했다.

"그런 담 형님이 말이야. 지금은 꽤나 즐겁고 행복하게 지내시거든. 비록 그런 말씀을 한 적은 없지만 그래도 충분히 알 수 있거든. 담 형님이 즐거워하는 걸 말이지."

강만리는 어깨를 으쓱거리며 말했다.

"나나 군악이나 예추들이 살갑게 대하고 그런 걸 잘 못하는데도 불구하고 담 형님은 꽤 끔찍하게 우리를 아끼거든. 또 아이들에게도 잘 대하고, 가끔씩 농담도 하고 그러시거든."

'우리 아랫사람들에게도 잘 대해 주십니다.'

양위는 생각했다.

'가끔 무공 수련도 도와주시고 술이라도 한잔하라면서 용돈도 쥐여 주시죠. 아마 화평장 다섯 장주 중에서는 아랫사람들에게 가장 많이 용돈을 주신 분이 아닐까 싶습

니다.'

한편 그런 양위의 생각과는 전혀 다른 방향으로 강만리의 중얼거림이 계속 이어지고 있었다.

"정(情)이라고는 전혀 모르고 살아온 사람이 이제는 그래도 정을 붙이고 살아간다는 게 뭔지는 알게 된 것 같은데…… 그런데도 우리를 위해서, 저렇게 악랄하고 잔인하며 추악하기 그지없는 고문을 스스럼없이 한단 말이지. 그게 대단하다는 거야. 정말 대단한 사람이지."

거기까지 말한 강만리는 문득 길게 한숨을 쉬며 어깨를 축 늘어뜨렸다.

"그에 비하자면 나야말로 정말 볼품없는 사람인데 말이지."

"아뇨, 그건 아닙니다."

양위가 부리나케 말했다. 강만리가 가볍게 웃으며 말을 이었다.

"아니, 그건 사실이니까. 나도 내 자신을 잘 알거든. 뭐랄까, 한없이 게으르고 귀찮아하고 어떻게 하면 쉽게 살아갈 수 있을까 만을 생각하는 사람이거든."

양위가 따라 웃으며 말했다.

"그야 다들 그렇지 않습니까?"

"그렇지? 그냥 평화롭게, 안전하게, 평범하게, 그리고 게으르게 살아갈 수 있는 게 장땡이지?"

"하하, 물론입니다. 특히 '게으르게'가 마음에 듭니다."

양위의 웃음에 강만리도 히쭉 웃었다. 하지만 이내 그는 볼멘소리로 말했다.

"그런데 평화롭기는커녕 매번 가슴 두근거리는 긴장 속에서 살고 있어. 안전하지도 않고, 평범하지도 않지. 게으르게? 아니, 태어나서 지금처럼 바쁘고 힘들고 짜증 날 때가 없어. 이렇게 계속 살아가게 될 것 같아서 두려울 지경이야."

"으음."

양위도 웃음을 그치고 진지한 표정을 지었다.

잠시 말을 멈춘 강만리는 발끝으로 돌멩이를 툴툴 치다가 하늘을 올려다보며 다시 입을 열었다.

"물론 잘 알고 있지. 게을러도 되는 평화를 얻기 전까지는 결코 게을러질 수 없다는 걸 말이지."

양위는 그의 말을 곰곰이 되씹었다.

'게을러도 되는 평화를 얻기 전까지는 결코 게을러질 수 없다, 라……'

강만리는 기지개를 켜며 말했다.

"어쨌든 다들 게을러져도 될 때까지, 적어도 그때까지만 바쁠 생각이니까."

양위가 가만히 있다가 불쑥 웃으며 말했다.

"네. 그 이후에는 다 같이 게을러지자고요."

"하하. 양 당주와는 역시 뜻이 맞는다니까."

강만리가 웃으며 엉덩이를 긁적거릴 때였다.

창고의 문이 열리고 담우천이 걸어 나왔다. 강만리는 하던 말을 멈추고 한달음에 담우천에게 달려갔다. 양위도 얼른 그 뒤를 따랐다.

창고 밖으로 나온 담우천의 손과 소매는 온통 피투성이였다. 그걸 본 양위는 곧장 방향을 돌려 우물가로 뛰어갔다. 담우천이 씻을 물을 길어 오려는 것이었다.

"어찌 되었습니까?"

강만리의 질문에 담우천은 차분한 어조로 말했다.

"죽었네."

"아."

강만리는 담우천의 무심한 얼굴을 보며 신음도 탄성도 아닌 소리를 흘렸다.

"여기 있습니다."

어느새 양위가 대나무 물통 한가득 물을 떠 와서 담우천 앞에 대령했다.

"고맙네."

담우천은 손과 소매를 닦으며 입을 열었다.

"소득이 없었던 것은 아닐세. 그가 누구의 종자인지, 왜 마차 뒤를 쫓았는지에 대해서 알아냈으니까."

"아."

강만리는 이번에도 신음도 탄성도 아닌 소리를 냈다.

담우천이 손을 다 씻자, 양위는 물통을 마당 구석진 곳으로 가져가 힘껏 뿌렸다. 핏빛 물이 사방으로 흩어졌다.

담우천은 강만리를 바라보며 말했다.

"벽린이 이야기했던 그 괴물이네."

강만리가 저도 모르게 움찔거렸다.

"괴물이요?"

"그래. 몇 년 전 광동 땅 불산에서 한 번 마주친 적이 있던 그 귀신같던 꼬마 말이네. 백염살귀는 그 꼬마의 종자였다네. 그리고 그 꼬마의 지시를 받고 마차를 뒤쫓았고."

"소야……"

강만리는 마른침을 꿀꺽 삼키며 물었다.

"그가 왜 마차를 뒤쫓으라고 했답니까?"

담우천은 표정의 변화 없이 대답했다.

"재미있는 장난감이라고 표현했다더군. 우리 마차를 두고."

"장난감이요?"

"그래. 아마도 마차에 타고 있던 부인들에게서 정사(正邪)의 기운과 분위기가 한데 섞여 있는 걸 느낀 거겠지."

"으음. 그것참."

강만리는 무심코 엉덩이를 긁적거렸다.

난감하고 당황스러운 일이었다. 느닷없이 소야와 그 종

자라니.

왜 그들의 존재가 예서 튀어나오는지 모르겠다. 유령교의 허 노야를 만나든가, 황계의 십삼매를 찾아가든가 해야 할 게 아니냔 말이다.

'아무래도…….'

강만리는 속으로 중얼거렸다.

'악연(惡緣)으로 꼬이고 꼬인 관계인 모양이다.'

강만리는 한숨을 길게 내쉬며 투덜거렸다.

"정말 게을러질 수가 없다니까."

## 2. 왕일문

왕일문은 결코 평범하지 않았다.

한때는 영웅객잔(英雄客棧)의 고참 점소이로 위장한 채 산 적도 있었다. 또 그 신분을 유지한 채 강만리 일행을 따라서 저 북경부까지 여행을 떠난 적도 있었으며, 강만리가 천왕가의 무사들에게 목숨을 잃게 되었을 때 그를 구해 준 적도 있었다.

물론 그 과정에서 자신의 한 팔을 잃게 되었지만, 그는 지금껏 강만리에게 단 한 번도 고맙다는 인사를 듣지 못했다.

영웅객잔의 점소이가 되기 이전의 그는 살막(殺幕)이라는 살수 집단의 일원으로, 그 살막의 살수들 중에서 가장 강하다는 십팔혈면사신(十八血面死神) 중 한 명이었다.

그리고 그가 어린 시절 살막에 들어가 십팔혈면사신이 된 것은 모두 황계의 지시에 따른 일이었다.


"너는 손발이 날래고 기척이 옅은 것이 살수의 자질이 있다. 내가 살수 집단을 알아봐 줄 테니 그곳에서 최고가 되어라. 그리고 그 집단을 네 것으로 만들어라. 그리하여 황계의 훌륭한 수족(手足)으로 사용할 수 있도록."


그를 자식처럼 아끼던 전대의 황계 계주는 그렇게 말했고, 전대 계주를 친아버지처럼 따르던 왕일문은 자신의 모든 것을 걸고 살수 집단에 입문했다.

십팔혈면마신의 한자리를 차지하게 되자 그는 더 이상 행동에 제약이 없게 되었다. 원하는 건 모두 얻을 수 있었고, 하고 싶지 않은 건 하지 않아도 되는 자유가 생겼다.

그때 비로소 왕일문은 황계를 찾았다.

하지만 전대 계주는 죽은 지 오래였고, 그 자리는 아름다운 여인이 차지하고 있었다. 왕일문이 친동생처럼 여겼던, 그리고 공주처럼 대했던 십삼매가 그 자리에 있었다.

이제 왕일문이 자신의 목숨을 바쳐 지켜야 할 대상은

전대 계주에서 그녀로 바뀐 것이다. 그렇기에 결코 이런 식으로 허무하게 죽으면 안 되는 게다.

'정신을 차리자.'

왕일문은 입술을 깨물었다.

정신만 차리면 호랑이에게 물려 가도 살아날 수가 있다고 하지 않았는가.

왕일문은 겨우 호흡을 회복하고 제대로 설 수 있었다. 그의 앞에는 대춧빛 얼굴의 노인이 거대한 태산처럼 우뚝 서 있었다.

금강천존.

물론 강한 줄은 알고 있었다. 어쨌든 철목가의 이인자고, 칠단의 단주들 중에서 최강의 실력을 지닌 자였으니까.

하지만 이렇게까지 강할 줄은 미처 몰랐다.

왕일문을 구하러 뛰어든 자들은 십팔혈면사신이라는 명칭이 아깝지 않은 실력을 소유하고 있었다. 지금껏 그들의 암습에 살아남은 자는 단 한 명도 없었다.

그런 그들이 금강천존의 손짓 한 번에 추풍낙엽(秋風落葉)처럼 쓸려 몰살당한 것이다. 어쩌면 금강천존 이자, 철목가의 가주 정극신보다 훨씬 강할지도 몰랐다.

'물론 철목가가 이렇게 나올 수도 있다고 생각했다.'

원래 초조하고 급해질수록 말보다는 무력이 먼저 동원

되는 법이다.

사면초가처럼 궁지에 몰린 철목가가 뭇 무사들을 동원하고 나타나 유령교의 잔당과 무림오적의 행방에 대해 재촉하는 건 예상 범위 안의 일이었다.

그래서 미리 준비한 답도 있었다.

수십 개의 유령교 안가 중 하나를 지목해서 그 정보를 팔고 시간을 버는 게 첫 번째 답이었다.

미리 십삼매를 대신해서 준비해 둔 계집을 팔아넘기는 게 두 번째 준비한 답이었으며, 무림오적의 부인들 중에서 정파 소속의 여인들이 있다는 걸 넌지시 알려 주는 게 세 번째 답이었다.

느긋하게 이런저런 이야기를 나누면서 시간을 끌다가 준비해 두었던 답들을 하나씩 풀어 주는 것, 그 와중에 상대의 빈틈이나 허점 등을 통해 역정보를 알아내는 것, 그게 미리 계획된 오늘의 만남이었다.

하지만 금강천존은 생각보다 급했으며 예상보다 훨씬 강했다. 그로 인해 왕일문은 금강천존에게 선수를 빼앗겼으며, 심지어 목숨마저 위험한 상황이 되고 말았다.

왕일문은 금강천존의 눈치를 보면서 조심스럽게 주위의 기척을 살폈다.

삼 층에서는 조금 전 금강천존의 일격으로 제법 큰 소란이 일었다. 문이 박살 나는 소리, 벽이 부서지듯 울리는 소리들이 상당히 크게 울려 퍼졌다.

일이 층에 있던 황계 사람들이 그 소리를 듣지 못했을 리가 없었다. 당연히 무기를 꼬나들고 서둘러 삼 층으로 올라왔을 게 분명했다.

하지만 여태 삼 층 대청으로 들어서는 이가 아무도 없다는 것은…….

'금강천존과 함께 온 무사들인가?'

그럴 것이다.

분명 그들이 삼 층 입구를 가로막은 채 버티고 있을 것이다. 그들의 주군인 금강천존이 다른 것이 신경 쓰지 않고 오로지 왕일문과의 이야기에 집중할 수 있도록, 일어날 수 있는 모든 소란을 미리 대비하고 있을 것이다.

'그 주군에 그 수하들인가?'

왕일문이 내심 한숨을 쉴 때였다.

"마지막으로 묻겠네."

금강천존은 여전히 인자한 미소를 지으며 입을 열었다.

"유령교의 잔당들이 어디에 있지?"

왕일문은 눈동자를 이리저리 굴리다가 결국 항복한다는 듯이 고개를 설레설레 흔들며 한숨을 내쉬었다.

"도저히 당할 수가 없군요. 졌습니다. 네, 졌어요. 좀 더 크고 정확하고 세밀한 정보로 만들어서 비싸게 팔 작정이었는데, 이렇게 헐값에 팔게 되는군요."

금강천존이 웃으며 말했다.

"자네 목숨과 황계 지부의 존속이 결코 헐값은 아닐 텐데."

"뭐, 거기까지는 생각하지 못했으니까요. 좋습니다. 말씀드리지요."

왕일문은 두 손을, 아니 한 손과 잘린 한쪽 팔을 들며 항복이라는 태도를 취했다. 그리고는 거듭 한숨을 내쉬며 천천히 말을 이어 나갔다.

"남쪽 천수호동(千壽胡同), 대문에 쇠로 만든 문고리가 있는 집입니다."

"쇠로 만든 문고리가 달린 대문이 어디 한두 곳일까?"

금강천존의 질문에 왕일문이 씨익 웃으며 되물었다.

"천수호동이 어떤 곳인지 모르시죠?"

금강천존은 가늘게 눈살을 찌푸렸다.

호동(胡同)은 곧 골목을 가리킨다.

반면 천수(千壽)라는 건 천수(天壽)도 아니고 천 살도 아니고 오래 산다는 뜻도 아니었다. 천 개의 목숨, 즉 천수호동은 천 명이 살아가는 좁은 골목길이라는 의미였다.

"물론 말이 천 명이지 꼭 천 명을 가리키는 건 아닙니다. 어쩌면 천 명이 안 될 수도 있고, 이천 명이 될 수도……."

"정말 말이 많구나."

금강천존은 부드럽게 말했다.

"그래서 천 명의 하층민들이 살아가는 골목이기 때문
에 쇠로 된 문고리를 단 대문이 그리 많지 않다는 뜻이
냐?"

왕일문은 웃으며 말했다.

"많지 않은 게 아니라 오직 한 곳입니다. 또 그 쇠로 만
든 문고리가 바로 그 집이 유령교의 소굴임을 말해 주는
증표와 같은 것이고요."

"거짓말이라면?"

"설마 이 지경이 되었는데도 제가 거짓말을 하겠습니
까?"

"뭐 상관없다. 어차피 자네도 함께 그곳에 가서 직접
확인해야 할 테니까."

"제가요?"

왕일문의 눈이 휘둥그레졌다. 이내 그는 낭패한 표정을
지으며 사방을 두리번거렸다.

"아니, 이 사달이 났는데 이곳을 정리하지 않고 가기는
어디를 간다는 겁니까? 그러지 마시고, 수하 중 믿을 만
한 녀석들을 붙여 드리겠습니다. 설마 제가 도망칠 거라
고 걱정하는 건 아니시죠? 여기 이 건물이 제 모든 것입
니다. 이걸 두고 어디로 도망치겠습니까, 제가?"

왕일문은 눈물까지 글썽거리면서 하소연했다. 금강천
존은 인자하게 웃으며 고개를 저었다.

"됐네. 같이 가는 거야."

"에에."

왕일문이 길게 한숨을 내쉴 때 금강천존이 가볍게 손
을 뻗어 그의 팔을 움켜쥐었다. 이번에도 왕일문은 피해
볼까 생각도 했지만 이내 포기하고 순순히 금강천존에게
자신의 팔을 내주었다.

억센 쇠틀에 갇힌 듯한 아픔이 그의 팔을 옥죄였다.

금강천존이 웃으며 말했다.

"그럼 그 천수호동까지 슬슬 산책하러 가세."

왕일문은 이미 버릇이 된 듯 한숨을 쉬며 말했다.

"네, 네. 알겠습니다. 절대로 도망치지 않을 테니까, 아
니 천하의 금강천존 앞에서 감히 도망칠 재주도 없으니
까 그저 팔만 놓아주셨으면 감사하겠습니다."

"그래. 자네의 말을 믿겠네."

금강천존은 팔을 놓았다. 왕일문은 한숨을 쉬며 앞장서
서 방을 나섰다. 아닌 게 아니라 삼 층 입구에는 금강천
존의 호위무사들이 버티고 있었다.

왕일문이 그들을 향해 말했다.

"이제 길을 열어 주셔도 됩니다."

호위무사들은 왕일문의 말과는 상관없이 금강천존을

돌아보았다. 금강천존이 고개를 끄덕이자 그제야 그들은 무기를 거두고 한쪽으로 비켜났다.

왕일문이 문을 열었다.

문밖의 계단에는 수십 명의 황계 무사들이 줄지어 선 채 어찌할 바를 몰라 하고 있다가, 왕일문을 보고는 서둘러 안부를 물었다.

"괜찮으십니까?"

"문을 박살 내고 들어가려고 했지만, 안의 상황을 전혀 모르는 까닭에 이렇게 대기하고 있던 참입니다."

수하들의 말에 왕일문은 속으로 혀를 쯧쯧 찼다.

'다음에는 삼 층 문을 없애야겠구나. 그리고 삼 층의 진식도 굳이 필요 없을 것 같고.'

왕일문은 힐끗 뒤를 돌아보았다. 아무렇게나 나가떨어진 채 죽어 있는 동료들의 시신, 그것만으로 기껏 만든 진식이 소용없게 된 것이다.

'진식이라는 게 생각보다 믿을 게 못 되는군.'

왕일문은 그리 생각하며 계단의 수하들을 향해 말했다.

"다들 비켜라. 내, 금강천존과 약속이 있어서 잠시 출타할 터이니, 삼 층에는 누구도 올라오지 말도록 하라."

수하들은 명을 받들고 물러났다. 왕일문은 금강천존, 그리고 그의 호위무사들과 함께 계단을 내려왔다.

'그래도 그곳에 몇 명은 모여 있어야 할 텐데.'

왕일문은 유령교의 소굴이라고 밝힌 천수호동의 그 유령교 안가에 모쪼록 여러 명의 사람들이 있기를 간절히 바라면서 주루를 나섰다.


### 3. 가서 죽이면 되잖아

"그래, 다들 잘 있고?"

한바탕 소란이 있었지만 이제는 깔끔하게 정리된 방 안, 위천옥은 태사의처럼 정중앙에 놓은 의자에 다리를 꼬고 앉은 채 물었다.

허 노야는 차탁에 앉으려다가 엉거주춤 선 채 대답했다.

"도련님 덕분에 모두 잘 지냅니다."

위천옥이 가볍게 눈살을 찌푸렸다.

"도련님이라고 부르지 말라고 했지?"

"죄송합니다, 소야."

"그래. 허 늙은이니까 용서해 주는 거야. 나는 사람들이 계속해서 똑같은 실수를 저지르는 꼴을 못 보니까."

"명심하겠습니다, 소야."

"그럼 됐고. 그런데 십삼매는 왜 안 와?"

"아, 지금 모처에 은신 중입니다."

"은신? 왜?"

"그게……."

허 노야는 잠깐 호흡을 가다듬은 다음, 현 성도부의 상황에 대해서 위천옥에게 설명하기 시작했다.

무적가의 이야기, 철목가의 이야기, 그리고 며칠 전 만인평에서 거둔 압도적인 승리, 그리고 현재 무적가의 본산에서 벌어지고 있을 전투에 대해서까지 허 노야는 긴 시간을 들여서 자세하게 이야기했다.

위천옥은 성질을 내거나 귀찮아하지 않고 가만히 허 노야의 이야기를 들었다. 그는 마치 할아버지로부터 옛날 이야기를 듣는 어린 손자처럼 말똥말똥하게 그를 쳐다보며 귀를 기울였다.

그런 가운데 허 노야의 이야기는 막바지에 이르고 있었다.

"그래서 철목가 놈들은 이곳 성도부에 주둔한 채 이 늙은이와 십삼매를 찾는 중입니다."

"그래서 성도부에 무사들이 많았던 거였구나?"

위천옥은 그제야 이해가 된다는 표정을 지으며 고개를 끄덕였다.

"어쩐지 예까지 오는 동안 눈빛 더럽고 성질머리 고약하게 생긴 무사들이 삼삼오오 몰려다니더라 했다."

"그들에게 은혜를 베푸신 소야의 인자함에 축복이 있기를."

"은혜까지야. 그저 내가 손을 대기 창피할 정도의 수준들이라서 관뒀지. 그게 철목가 무사들이라고?"

위천옥은 턱을 괸 채 잠깐 생각하다가 피식 웃으며 중얼거렸다.

"겨우 그 정도 녀석들을 두려워해서 내게 그리 숨어 있으라, 함부로 날뛰지 마라, 그렇게 울면 오대가문 놈들이 잡으러 온다고 엄포를 놓았던 거야, 그 할아범들은?"

허 노야는 마른침을 꿀꺽 삼켰다.

그 할아범들이란 다름 아닌 공적십이마들일 것이다. 위천옥이 성장할 때까지 공적십이마들 중 살아 있는 자들이 서로 돌아가며 그에게 무공을 가르쳤으니까.

"겁쟁이 할아범들이라니까."

위천옥은 싱글거리다가 문득 생각났다는 듯이 화제를 돌렸다.

"그래, 소홍은?"

허 노야의 안색이 살짝 변했다.

소홍은 위천옥과 쌍둥이였다.

위천옥을 얻은 허 노야가 소홍은 필요 없다며 죽이려 했지만, 십삼매가 자신이 거두겠다면서 말린 덕분에 가까스로 살아남을 수 있었다.

그 어린 계집이 어느새 훌쩍 커서 이제는 뭇 사내들의 가슴을 두근거리게 할 정도로 육감적이고 아름답게 성장했다. 그야말로 착실하게 제이의 십삼매가 되어 가는 중이었다.

하지만 여전히 허 노야는 마음에 들지 않았다.

쌍둥이는 함께 있으면 안 된다. 특히 남녀 성(性)이 다른 쌍둥이는 불길하다. 쌍둥이 중 하나를 죽이면 그 능력이 살아남은 쌍둥이에게로 간다. 그래서 쌍둥이가 태어나면 반드시 그중 한 명을 죽이는 이유 중의 하나가 그것이었다.

'쯧쯧, 그때 죽였어야 하거늘…….'

허 노야는 내심 혀를 차면서 겉으로는 태연자약한 얼굴로 대답했다.

"소홍 아가씨도 예쁘게 자라셨습니다. 모르기는 몰라도 십삼매보다 훨씬 아름답고 뛰어나게 성장할 겁니다."

"그래야지."

위천옥은 웃으며 고개를 끄덕였다.

"내 핏줄인데, 최소한 그 정도 능력은 있어야지."

그때, 허 노야의 맞은편 차탁에 앉아서 가만히 차를 마시고 있던 청노가 불쑥 입을 열었다.

"만나시겠습니까?"

"그럼 만나야지."

위천옥은 당연하다는 듯이 말했다.

"할아범들이 금방 돌아올 거라고, 몇 밤 자면 만날 수 있을 거라고 거짓말을 하면서 날 끌고 간 게 십수 년 전의 일이다. 그때 그렇게 헤어지고 나서 지금껏 단 한 번도 보지 못했다."

위천옥은 감개무량한 표정으로 말을 이어나갔다.

"잘 크고 있다, 예쁘게 자라는 중이다, 자기가 머리카락을 자르고 후회하며 울고 있더라 등등 매번 녀석의 근황만 전해 들으면서 상상할 따름이었지. 아, 기억난다. 나와 쌍둥이니까 내 얼굴에 머리카락만 붙이면 녀석의 얼굴이 되겠지, 해서 시녀의 머리를 벗긴 적도 있었다."

그는 활짝 웃었다. 반면 청노는 저도 모르게 몸을 부르르 떨었다.

'그때 그 아이의 머리 피부까지 홀라당 벗긴 게 그런 이유에서였나?'

청노는 당시 그 처참하게 죽은 시녀와 그 옆에서 시녀의 머리카락을 피부째 뒤집어쓴 채 웃고 있던 위천옥의 모습을 지금도 잊지 못했다.

그 잔악함과 악랄함에, 그리고 자신이 저지른 일이 잔인하고 악독한 행동인지도 모르는 소년의 천진함에 그저 사시나무처럼 부들부들 떨기만 했던 기억이 여전히 청노의 머릿속에 남아 있었다.

처음부터 평범한 꼬마가 아니라고 생각했지만 그렇게까지 미친 꼬마인지는 전혀 몰랐던 시절의 일이었다.

"좋아."

위천옥이 손뼉을 치며 말했다.

"그녀들이 지금 움직일 수 없다면 내가 가면 되지. 허 영감."

"네, 소야."

허 노야가 움찔거리며 대답했다. 위천옥은 자리에서 일어나며 말했다.

"당장 그녀들에게 안내해 줘."

허 노야가 얼굴을 일그러뜨렸다. 하지만 그는 곧 웃는 낯으로 말했다.

"그건 좀……."

"그건 좀?"

위천옥이 고개를 갸웃거리며 물었다. 허 노야는 속으로 한숨을 쉬며 말했다.

"조금 전에 말씀드렸다시피 지금 성도부 거리는 온통 철목가 놈들입니다. 그들이 조금 잠잠해지고 경계심이 사그라질 무렵, 그때 움직이셔야 하지 않을까 생각합니다."

"왜지?"

위천옥은 이해가 가지 않는다는 얼굴로 물었다.

"왜라면······ 소야의 안전을 위해서 그렇습니다."

"내 안전?"

위천옥이 피식 웃었다. 그리고는 크게 고개를 끄덕이며 빈정거리듯 말했다.

"아아, 그러니까 허 영감은 누가 나를 어쩔 수 있다고 생각하나 보네. 천하의 내게 저 송사리만도 못해서 가만 놔뒀던 철목가 애송이들을 두려워하라고, 그래서 숨어 있으라고 하는 거네."

"그건 아닙니다."

허 노야가 얼른 말했다.

"지금 놈들을 한꺼번에 무너뜨리고 몰살시킬 계략을 세워서 그 계략대로 천천히 일을 진행하는 중이······."

"됐네."

위천옥이 짧고 명료하게 허 노야의 말을 끊었다.

"뭘 그리 복잡하게 일을 꾸미려고 해? 그냥 가서 죽이면 되잖아."

위천옥은 턱으로 허 노야를 가리키며 말했다.

"자, 안내해. 철목가 가주에게."

허 노야의 표정이 급변하는 순간이었다.


(무림오적 30권에서 계속)